इच्छाओं को करें बाय-बाय

इच्छाओं को करें बाय-बाय

तुरंत खुशी कैसे पाएँ

by **Sirshree** Tejparkhi

प्रथम आवृत्ति : नवंबर 2009

रीप्रिंट : जनवरी 2024, सितंबर 2025

प्रकाशक : वॉव पब्लिशिंग्ज् प्रा. लि., पुणे

प्रिंटर : ट्रिनिटी अकादमी फॉर कॉर्पोरेट ट्रेनिंग लि., पुणे

ISBN : 978-81-8415-291-3

Ichhaon ko kare bye bye

Turant Khushi Kaise Payen

विषय सूची

प्रस्तावना

प्रबल इच्छा शक्ति और निरंतरता

चित्रकार की इच्छा

क्या आप चित्रकार हैं? यदि 'हाँ' तो आपको कुछ सीखना है। यदि आप संगीतकार हैं तो आपको कुछ सीखना है, यदि आपके पास कार है या नहीं है तो भी आपको सीखना है और यदि आप निराकार हैं तब भी आपको कुछ सीखना है। ऐसे में सवाल उठता है कि 'क्या सीखना है?'

मान लें, आप किसी चित्र की प्रदर्शनी देखने गए हुए हैं। जिसमें चित्र हैं, दर्शक हैं और चित्रकार भी मौजूद है। ऐसे में अपने ही बनाए चित्र में चित्रकार जो देख रहा होता है, वह दर्शक नहीं देख पाते। अर्थात चित्रकार ने चित्र में कौन से रंग या शेडस् समाविष्ट किए हैं, उसमें कौन सी रचनात्मकता की है, यह चित्रकार के अलावा कोई नहीं जान पाता। चित्रकार की चित्रकारिता देखने के लिए चाहिए केवल चित्रकार की इच्छा और चित्रकार की आँख। इच्छा की सच्चाई देखनेवाली आँख। यह आँख मिलते ही मिलेगी बंधन बाँधनेवाली इच्छाओं से मुक्ति, आदतों से छुट्टी।

संत सुकरात प्राचीन यूनान के महान दार्शनिक थे, जिनकी बुद्धिमानी का लोहा

सभी लोग मानते थे। एक दिन एक युवक सुकरात के पास आकर कहने लगा, 'महान सुकरात, मैं आपके पास बड़ी उम्मीद लेकर आया हूँ। कृपया मुझे ज्ञान हासिल करने का तरीका बताएँ। आप सबसे बड़े ज्ञानी हैं और मेरे मन में भी ज्ञान हासिल करने की तीव्र इच्छा है। अत: मुझे ज्ञान पाने का रास्ता बताएँ।'

सुकरात ने युवक की बात सुनकर उससे पूछा, 'क्या तुम्हारे मन में सचमुच ज्ञान हासिल करने की इच्छा है?' युवक ने 'हाँ' में सिर हिला दिया।'

सुकरात उस समय समुंदर के किनारे खड़े थे। उन्होंने युवक से कहा कि 'वह समुंदर में उनके साथ-साथ चले।' युवक को कुछ समझ में नहीं आया लेकिन उसे लगा कि शायद सुकरात गहरे पानी में उसे ज्ञानी बनने का गोपनीय रहस्य बताना चाहते हैं। जब पानी कमर तक आ गया तब सुकरात ने अचानक युवक के बाल पकड़ लिए और उसका सिर पानी में डुबा दिया। युवक बौखला गया और साँस लेने के लिए छटपटाने लगा। लगभग बीस सेकंड बाद सुकरात ने युवक का सिर पानी से बाहर निकाला और उससे पूछा, 'तुम्हारे मन में किस चीज की इच्छा है?'

युवक ने मुँह से पानी की फुहार छोड़ते हुए कहा, 'ज्ञान की।' सुकरात ने एक बार फिर उसका सिर पानी में डुबा दिया और इस बार थोड़ी ज्यादा देर तक डुबाए रखा। युवक का दम घुटने लगा और पानी में वह बुरी तरह छटपटाने लगा। इस बार जब सुकरात ने उसका सिर पानी से बाहर निकाला तो बदहवास युवक ने क्रोधित स्वर में कहा, 'पागल आदमी, क्या तुम मेरी जान लेना चाहते हो? मैं तुम्हारे पास ज्ञान लेने आया था और तुम मुझे पानी में डुबा रहे हो?'

सुकरात ने युवक की बातों को नजरअंदाज करते हुए पूछा, 'एक बात बताओ, जब मैंने तुम्हें पानी से बाहर निकाला तो उस वक्त तुम्हारे मन में सबसे ज्यादा किस चीज की इच्छा थी?' युवक ने कहा, 'हवा की।' इस पर सुकरात ने मुस्कराते हुए कहा, 'जब तुम ज्ञान के लिए उतनी ही बुरी तरह छटपटाओगे, जितना उस पल हवा के लिए छटपटा रहे थे, तब तुम्हें ज्ञान और ज्ञान पाने का रास्ता जरूर मिल जाएगा।'

तात्पर्य- प्रबल इच्छा ही सफलता की नींव है। प्रबल इच्छा (शुभ-इच्छा) के बिना उच्चतम ज्ञान हासिल करना संभव नहीं है। जिस तरह छोटी आग से कम आँच मिलती है, उसी तरह कमजोर इच्छा से कमजोर परिणाम मिलते हैं। जब तक इच्छा कमजोर रहती है तब तक मनुष्य उसे साकार करने की दिशा में खास कोशिश

नहीं करता है। लेकिन जब इच्छा-शुभ और प्रबल हो जाती है तब इंसान अपनी पूरी ताकत लगा देता है और पीछे लौटने के सारे विकल्प खत्म कर देता है। इसलिए इच्छाओं की ताकत को समझकर, उन्हें चलाना सीखें, न कि इच्छाएँ आपको चलाएँ। इस पुस्तक से यह कला सीखकर अंतिम सफलता प्राप्त करें।

शुभ और प्रबल इच्छा किसी भी क्षेत्र में सफलता पाने का मूल मंत्र है क्योंकि इससे जबरदस्त एकाग्रता, ऊर्जा और शक्ति प्राप्त होती है। याद रहे, इस संसार में लक्ष्य पाने की कीमत देनी पड़ती है। लेकिन वह कीमत आप शुभ-इच्छा की वजह से हँसते-खेलते चुकाएँगे। सफल लोगों की यह नसीहत कभी न भूलें, 'प्रबल इच्छा का अर्थ है एक लक्ष्य बनाना, फिर उस लक्ष्य तक पहुँचने की कार्य-योजना बनाना और इसके बाद उस काम में तब तक जुटे रहना, जब तक कि लक्ष्य हासिल न हो जाए।' इसमें सबसे महत्वपूर्ण बात है- काम में जुटे रहना, शुभ इच्छा को बल प्रदान करते रहना। एक शब्द में इसे कहते हैं, 'निरंतरता'। दो शब्दों में कहते हैं, 'हैपी थॉटस्।'

सरश्री...

खण्ड 1
इच्छा मुक्ति

इच्छाओं का होना
दु:ख का कारण
नहीं है बल्कि
इच्छाओं की आदत पड़
जाना दु:ख है।

1

इच्छा मुक्ति में 'काश' का अवरोध

अपनी रूखी-सूखी रोटी खाकर संतुष्ट रहो,
पराई चुपड़ी रोटी देखकर जी मत ललचाओ।

- कबीर

'जो है उससे इनकार' और 'जो नहीं है उससे प्यार' की आदत इंसान को 'काश' के जाल में कुछ यूँ उलझा देती है कि वह हमेशा कल्पना लोक में विचरण कर दुःख पाता है। अधिकतर लोगों के साथ जीवन भर काश की लंबी कतार चलती रहती है। यदि उनमें से कुछ 'काश' पूरे होकर खत्म भी हो जाएँ तो उतने ही और नए 'काश' मुँह फाड़े सामने खड़े हो जाते हैं।

इस तरह देखा जाए तो काश की कतार कभी समाप्त ही नहीं होती। कहने का अर्थ है यदि सब कुछ इंसान के मन-मुताबिक हो भी जाए तो भी वह कभी संतुष्ट नहीं हो पाता। एक इच्छा पूरी होते ही नई इच्छा पनपने लगती है।

'काश' के कारण इंसान जीवन के हर मोड़ पर नकारात्मक तरीके से सोचता है। यकीन न आए तो स्वयं से पूछें, 'मेरे जीवन में कहाँ-कहाँ पर काश की कशमकश चल रही है?' यदि आप अपने जीवन को गौर से देखें तो आपको 'काश' की एक लंबी कतार दिखाई देगी। 'काश! मेरे पास पैसा होता... काश! मैं सुंदर होता... काश! मेरी बीवी पढ़ी-लिखी होती... काश! मेरे बच्चे मेरा कहा मानते... काश! मेरे मन-मुताबिक कार्य होते... काश! मुझे पढ़ाई नहीं करनी पड़ती... काश!

मुझे अच्छी नौकरी मिलती... काश! कभी परीक्षा ही नहीं होती... काश! मैं जिसे चाहती थी, उसी से मेरी शादी होती... काश! मुझे विदेश जाने का मौका मिलता... काश! मैं सफल होता' इत्यादि।

इस तरह बात-बात में इंसान 'काश!' की डूबती कश्ती में सवार हो जाता है। जो बातें वर्तमान में नहीं हैं, उनकी चाहत में अपने जीवन को निराशा से भर देता है। ऐसे में उसे सोचना चाहिए कि काश के चक्कर में फँसकर, कहीं वह अपने भीतर के आकाश (स्वअनुभव) को यानी अपनी आंतरिक शांति को भंग तो नहीं कर रहा है।

यदि इंसान आकाश की कश्ती[1] में सफर कर रहा है तो मुमकिन है कि उसकी नैया सांसारिक मोह-माया से पार हो जाए। लेकिन 'काश' की कश्ती में सफर करने पर यह नामुमकिन है। इसलिए जीवन में झाँककर मनन करने की आवश्यकता है कि आप 'काश' को कब और कितना महत्त्व दे रहे हैं एवं वह आप पर कितना नकारात्मक असर डाल रहा है?

आप 'काश' से जुड़ी निराधार इच्छाओं के लिए उच्चतम आनंद खो रहे हैं तो क्या यह उचित है? क्या यह महँगा सौदा नहीं है? इस विषय पर पूरी स्पष्टता पाने के लिए गहराई से मनन करें।

'काश, मैं लड़की न होकर लड़का होती तो कितना अच्छा होता!' यह हर उस लड़की की चाहत होती है, जिसे लगता है कि हर जगह लड़कों को लड़कियों से ज्यादा महत्त्व दिया जाता है। जरूरी नहीं कि हर लड़की ऐसा सोचे लेकिन कई लड़कियों के मन में इस तरह का विचार उठता है । सभी जानते हैं कि इस तरह के बदलाव मुमकिन नहीं हैं। फिर भी वे काश के विचारों में गोते लगाते रहते हैं।

यह तो एक उदाहरण था। जीवन के ऐसे कई पड़ावों पर इंसान के मन में काश के विचार आते रहते हैं। ऐसे में उन्हें खुद को स्पष्ट रूप से यह समझाना होगा कि 'जहाँ पर इस तरह का परिवर्तन संभव नहीं है, वहाँ पर काश..! कहकर अपने आनंद को त्यागना उचित नहीं है।' बेहतर यही है कि इंसान 'काश' के नकारात्मक विचारों और उनके दुष्प्रभावों को जान जाए ताकि फिर कोई भी विचार उसे कभी दुःखी न करे।

---

[1] आकाश की कश्ती असीम, निराकार, अनंत सेल्फ का प्रतीक है, जिसे पाने के बाद कोई इच्छा शेष नहीं रहती।

परिवार में 'काश'

परिवार के सदस्यों को एक-दूसरे से बहुत सी अपेक्षाएँ रहती हैं। अतः पति-पत्नी तथा बच्चों ने मिलकर एक संवाद मंच तैयार करना चाहिए ताकि एक-दूसरे से बातचीत करके अपनी समस्याओं का हल निकाला जा सके। जैसे यदि पत्नी को अंग्रेजी न आती हो तो पति की यही चाहत होती है कि 'काश! मेरी पत्नी को अंग्रेजी आती तो कितना अच्छा होता।' अपने बच्चों से उसकी यह अपेक्षा होती है कि 'काश! मेरे बच्चे मेरा कहा मानते' इत्यादि। परिवार के सदस्य आपस में मिलकर बातचीत के द्वारा यदि संवाद मंच स्थापित करें और इन मसलों के समाधान प्राप्त कर पाएँ तो परिवार में प्रेम, आनंद और शांति आ सकती है।

सही तरीके से किए गए आपसी वार्तालाप के द्वारा बहुत सारी बातें सामने आती हैं। उनकी एक-दूसरे के बारे में बनाई गई मिथ्या धारणाएँ और अनुमान टूटते हैं। लोग एक-दूसरे को बेहतर समझने लगते हैं। मगर इंसान को सही वार्तालाप करने की कला मालूम नहीं होती। अतः वह चुप रहकर या गलत संवाद करके जीवन में बहुत कुछ खो देता है और इस बात का उसे पता भी नहीं चलता। बेहतर संवाद मंच बनाने के लिए परिवार के साथ बातचीत करने से पहले इंसान को खुद के साथ भी बातचीत करनी चाहिए और अपने रिश्तों के हर पहलू पर मनन करना चाहिए। यदि उसे रिश्तों के सभी पहलुओं पर पूरी स्पष्टता होगी तो ही वह दूसरों को अच्छे से सुन पाएगा, समझ पाएगा और उन्हें भी स्पष्टता दे पाएगा।

आप कहेंगे कुछ 'काश' पालकर हमें खुशी मिलती है। ऐसे में उन्हें अपने पास रखने में कोई हर्ज नहीं है किंतु यदि वे आपके भीतर दुःख के भाव जाग्रत कर रहे हैं तो ऐसे 'काश' का कोई लाभ नहीं है। यह आप पर निर्भर करता है कि आपको कौन से 'काश' रखने हैं और कौन से त्यागने हैं। 'काश' को मापने का सही मापदंड आपकी दुःखद या सुखद भावना है।

कुछ लोगों को डॉक्टर करेला खाने की सलाह देते हैं। जिन्हें करेले की कड़वाहट पसंद नहीं आती, वे चाहेंगे कि डॉक्टर उन्हें आईसक्रीम जैसी कुछ मीठी चीजें खाने की सलाह दे।

अर्थात अपनी-अपनी पसंद के अनुसार इंसान के काश बदलते रहते हैं। बच्चा सोचता है, 'काश! ईश्वर ने सारे विटामिन्स आईसक्रीम में ही डाल दिए होते तो कितना बढ़िया होता।' ऐसे कई सारे उदाहरण आपने अपने आस-पास देखे होंगे।

इस तरह सोचने में कोई हर्ज नहीं है, इंसान अपने आनंद के लिए जो भी सोचना चाहे सोच सकता है, बशर्ते वह अपने विचारों से खुद को दुःखी न करे।

'काश' की यह दौड़ बच्चे के होश सँभालते ही शुरू हो जाती है। पृथ्वी पर बच्चा पैदा हुआ नहीं कि कुछ दिनों बाद वह अपने आस-पास सभी को दौड़ते-भागते हुए देखता है। थोड़ा बड़ा हुआ तो वह भी सोचता है कि 'हर कोई दौड़ रहा है तो इस दौड़ में भला मैं क्यों पीछे रहूँ? मुझे भी इस संसार की रेस में दौड़ना चाहिए।' यदि कोई ऐसा नहीं सोचता तो उसे उसके माँ-बाप, आस-पासवाले ऐसा सोचने पर मजबूर कर देते हैं। क्योंकि उनके लिए जीवन का यही मतलब होता है। अतः वह भी चाहे-अनचाहे अंधे घोड़े पर सवार होकर, उसी दौड़ में शामिल हो जाता है। ऐसे में वह क्या करने आया था और क्या कर रहा है, इस बात का उसे अंदेशा ही नहीं होता। जब तक वह रुककर सोचता नहीं है तब तक दौड़ का सिलसिला जारी ही रहता है।

आकाश (सत्य) की तरफ जाने के लिए यानी स्वयं को जानने के लिए आपको इस दौड़ से अवकाश लेना पड़ेगा। अपने व्यस्त जीवन से कुछ समय निकालकर इस बात पर मनन करना होगा कि 'इस संसार में हम किस उद्‌देश्य को लेकर आए हैं?' अवकाश के समय में आपको अपने पृथ्वी लक्ष्य से संबंधित विचार करने होंगे। जब तक आपने ऐसे अवकाश की अवधि प्राप्त नहीं की तब तक आपकी 'काश' से मुक्ति संभव नहीं है।

समझ जो 'काश' को दूर रखे

एक इंसान खुद को आइने में निहार रहा है, यदि उसे एकाध सफेद बाल दिख जाए या उसके बाल ज्यादा झड़ रहे हों तो उसे तनाव आ जाता है।

यहाँ पर यह समझ रखनी महत्वपूर्ण है कि 'आज की तारीख में जितने बाल हैं या जितने बाल सफेद होने चाहिए उतने हैं।' अब यदि कंघी में कुछ बाल टूटकर गिर भी जाएँ तो उस इंसान को तनाव नहीं आएगा। वह यही कहेगा कि 'कल तक इन बालों की जरूरत थी, आज नहीं है' यानी बाल कितने होने चाहिए? जितने हैं। कितने बाल सफेद होने चाहिए? जितने हैं। वरना जो बाल सिर से निकल आए हैं, उन्हें दोबारा चिपकाने या सिर पर नए बाल उगाने के चक्कर में लोग जिंदगीभर परेशान होते रहते हैं।

जब इंसान के जीवन में उसके किसी अपने नजदीकी रिश्तेदार की मृत्यु होती है तब उसे बहुत दुःख होता है। उसे लगता है, 'काश! इसकी मृत्यु नहीं हुई होती तो बहुत अच्छा होता। इसके बदले मेरे बॉस की मृत्यु हुई होती, वह कितना बुरा आदमी है... मेरी सास गुजर गई होती, इनकी तो उम्र हो चली है, ये क्यों नहीं मरते? इन्होंने जरूर कौए की हड्डी या गिद्ध का मांस खाया होगा' आदि। अब जरा सोचें, जिन रिश्तेदारों का पृथ्वी का जीवन समाप्त होने का समय आ गया है, उन्हें इंसान अपने अज्ञान और स्वार्थ के कारण व्यर्थ में ही जीवन के साथ गोंद लगाकर चिपकाने की कोशिश में लगा हुआ है और यही उसके दुःख का कारण है।

अतः खुद से पूछें, 'मेरा जो प्रियजन गुजर गया है, उसे याद करने में क्या मुझे आनंद आ रहा है?' अगर इस सवाल का जवाब 'हाँ' है तो कोई दिक्कत नहीं है। मगर दुःख हो रहा है तो समझना चाहिए कि यह कुदरत के द्वारा दिया गया संकेत है। कुदरत अपने तरीके से आपको बता रही है कि आप अज्ञान में कुछ पकड़ने की चाहत में अपने आनंद को दाँव पर लगा रहे हैं।

'काश' से मुक्त होने के लिए हर घटना को हेलिकॉप्टर के (उच्च) दृष्टिकोण से देखें एवं खुद को याद दिलाएँ कि 'काश' या उससे मिलते-जुलते शब्दों से दुःख का ही निर्माण होता आया है और होता रहेगा। जबकि 'आकाश को काश' की जरूरत नहीं है इसलिए काश को छोड़कर, आकाश से यानी निराकार, असीम, अनंत से नाता जोड़ें। आपको आकाश के प्रति दृढ़ता नहीं आई है इसलिए आपको हेलिकॉप्टर के दृष्टिकोण से देखने के लिए कहा जाता है। यदि हेलिकॉप्टर से उसी घटना को देखेंगे तो आपका जीवन और बेहतर होगा। मनन की कमी की वजह से इंसान कभी इस तरह सोच ही नहीं पाता। परिणामतः उसने अपने लिए आसान सा 'काश' का रास्ता खोज निकाला।

अब समय आया है कि सारी बातों पर नए ढंग से पुनःर्विचार किया जाए।

एक बार भूख से बेहाल राहगीर जंगल से गुजर रहा था, पास ही लगे हुए बेरी के पेड़ से उसने एक छोटा सा बेर तोड़कर खाया और कहा कि 'इतना छोटा सा बेर! पेट ही नहीं भरा, काश! पेड़ पर तरबूज उगते तो कितना अच्छा होता।'

अगले ही क्षण उसके सिर पर एक बेर आ गिरा और उसके दिमाग की

बत्ती जल उठी कि 'अच्छा है तरबूज पेड़ पर नहीं उगते। यदि उगते तो मेरे सिर का क्या हाल होता!'

कुछ लोगों को तुरंत ऐसे सबूत मिलते हैं, कुछ को बहुत सालों के बाद मिलते हैं और कुछ को तो मृत्यु उपरांत पता चलता है कि 'पृथ्वी पर मिले जीवन में हमने क्या खो दिया।' वे अपने बीते जीवन की बातें याद करते हुए कहते हैं, 'जब हम जिंदा थे तब हम अपने जीवनरूपी प्रसाद का आनंद ही नहीं ले पाए, उसमें भी हमने कंकर ही ढूँढ़े।' कई लोग सोचते हैं, 'ऐसा हुआ होता तो ज्यादा बेहतर हुआ होता।' मगर कोई भी इंसान ऐसा निश्चित तौर पर नहीं कह सकता इसलिए जब भी 'काश' आए तो नए सिरे से मनन करें।

एक कौए ने किसी इंसान के ऊपर बीट (शरारत) कर दी। तब उस इंसान ने मन ही मन सोचा, 'अच्छा है, गाय नहीं उड़ सकती वरना सिर पर गोबर पड़ता।'

खैर, यह तो एक चुटकुला था मगर कभी-कभार चुटकुले भी झकझोरने का कार्य करते हैं। कुछ लोगों को यह बात तुरंत समझ में आ जाती है। अतः आगे के जीवन का आनंद लेने हेतु आपके लिए भी यही बेहतर है कि आपको यह बात जल्दी समझ में आए तो कहा जाएगा, 'जब तू जागे तभी सबेरा।'

तात्पर्य- सब कुछ सही तरीके से चल रहा है। उड़नेवाले उड़ रहे हैं, जमीन पर रेंगनेवाले रेंग रहे हैं। उनमें बदलाव लाने की चाहत में आपको ही तकलीफ होनेवाली है। इसलिए बेहतरी इसी में है कि खुद में बदलाव लाने का प्रयास करें। अपने अंदर ढूँढ़े आप कौन-कौन से 'काश' को पकड़कर बैठे हैं, उनसे खुद को तुरंत मुक्त कर दें। जैसे :

काश! मैं खुश होता

काश! मैं प्रधान मंत्री होता

काश! मैं सफल होता

काश! मैं लड़का होती

काश! मैं अंग्रेजी में बात कर पाती

काश! मैं मॉडल होती

काश! मैं किसी बड़े ओहदे पर होता

काश! मैं रचनात्मक होती

काश! मैं हमेशा छोटी ही रहती, बड़ी न हो पाती

काश! मैं घर में सबसे बड़ी होती

काश! मैं दुनिया का सबसे अमीर इंसान होता

इनके अतिरिक्त आपके कुछ काश! अभी भी बाकी हैं तो उन्हें यहाँ लिखकर, उनसे मुक्ति पाने की ठान लें।

हर दिन स्वयं का अवलोकन करें कि आपके अंदर ऐसे कितने 'काश' हैं, जो आपको अपने आकाश रूपी आनंद से वंचित कर रहे हैं, उन्हें जल्द ही ढूँढ़ निकालें। यदि आपने इन बातों पर मनन किया तो संभवतः आप हमेशा के लिए 'काश!' से मुक्त होकर, आगे का विकास कर पाएँगे। मात्र इतना ही नहीं बल्कि स्थूल या सूक्ष्म हर तरह के 'काश' के विचारों को समाप्त करने की कला सीख जाएँगे। यह कला सीखना अत्यंत महत्वपूर्ण है क्योंकि आगे जब कभी भी आपके मन में 'काश' के विचार उठेंगे तब आप उन्हें तुरंत ही विलीन कर पाएँगे।

2

आदतें- इच्छाओं का दर्पण

जहाँ इच्छा प्रबल होती है, वहाँ कठिनाइयाँ
प्रबल नहीं हो सकतीं।

- निकोलो मैकियावली

इच्छा, जीवन को आकार देती है, फिर जीवन इच्छा को आकार देता है। जिसके परिणामस्वरुप इंसान का जीवन इच्छा चलित होता है। स्वयं को शरीर जानकर इंसान स्वार्थ से प्रेरित होकर शुभ-इच्छा छोड़कर, व्यक्तिगत इच्छाएँ रखता है। फिर धीरे-धीरे उसके वश होकर अपने जीवन की बागडोर इच्छाओं के हाथ में थमा देता है। अंततः वह मात्र इच्छाओं का गुलाम बनकर काश की कश्ती में रह जाता है।

इंसान के मन में तरह-तरह की इच्छाएँ होती हैं। जैसे- एक स्त्री अपने पति से कहती है, 'मेरी मृत्यु के पश्चात आप पेपर में मेरी तसवीर छापेंगे तो कृपया उसमें मेरी उम्र मत लिखना।'

जरा सोचें, मरते समय यह कैसी इच्छा है? यदि लोग ऐसी ही इच्छाएँ लेकर पृथ्वी से जाएँगे तो पार्टटू (मृत्यु उपरांत जीवन) में जाकर वे क्या निर्माण करेंगे? वहाँ भी एक ब्यूटीपार्लर खोलकर बैठेंगे ताकि 'उम्र अधिक न दिखे।' उनका बस यह एक ही लक्ष्य है, उससे ज्यादा बड़ा लक्ष्य उनके जीवन में है ही नहीं। हालाँकि पार्टटू में

उच्चतम अभिव्यक्ति की संभावना थी। मगर केवल इच्छावश कोई वहाँ पर भी शरीर में उलझा रहे तो वह पृथ्वी जीवन व्यर्थ गँवा चुका।

पृथ्वी पर यदि लोग ब्यूटीपार्लर खोलते हैं तो अच्छी बात है! क्योंकि यहाँ के लोगों को इसकी जरूरत है। यहाँ बी- एम.एस.वाय. (बाहरी शरीर) को मसाज चाहिए, चेहरे को रंग-रोगन चाहिए। मगर इंसान की यह इच्छा अजब है कि उम्र अधिक न दिखे या किसी को मेरी उम्र का पता न चले। उस स्त्री को भय था कि उसके मरने के बाद जिंदगीभर सहेलियों से बोला गया झूठ उजागर न हो जाए। इसलिए पहले से ही वह अपने पति को तैयार करके जा रही है।

खैर, यह तो महज एक उदाहरण था, जिस पर आपको हँसी आएगी। मगर अगर आप अपनी इच्छाओं को खोदकर देखेंगे तो आपको भी इसी तरह की कुछ बेतुकी इच्छाएँ मिलेंगी। तब आपमें और उस स्त्री में कोई ज्यादा अंतर नहीं बचता। चूँकि अब आपको ज्ञान मिल रहा है तो आपमें निम्न इच्छाओं से मुक्त होने की शुभ इच्छा जगी है। अब आपको समझ में आ रहा है कि 'पृथ्वी पर हम क्यों आए हैं? पृथ्वी पर हमें यह परिवार क्यों मिला है? हमें यहाँ कौन सा कार्य करना था?'

पृथ्वी पर अपनी इच्छा को समझकर, शुभ-इच्छा को जोड़ना है। जो इच्छाएँ खाली समय में पैदा होकर आदत बन गईं, अब उन सबका निवारण करना है। जिनका अंतिम लक्ष्य ही सत्य पाना है, उनमें ऐसी एक भी आदत न बचे, जिसकी भविष्य में जरूरत नहीं है।'

इच्छा से इच्छा की उत्पत्ति

क्या आपने कभी सोचा है कि इच्छा पूरी हुई तो दुःख क्यों होता है? क्योंकि धीरे-धीरे इससे इच्छा की इच्छा रखने की आदत का निर्माण होता है। साथ ही इच्छा पूरी होने से अहंकार भी बढ़ता है और अहंकार के बढ़ने से जीवन में दुःख ही आएगा। इच्छा पूरी होने से इच्छा के साथ आसक्ति बढ़ती है। फिर लगता है हर इच्छा पूरी हो। यहीं से इच्छाओं की साइकिल (गुलामी) शुरू हो जाती है।

यदि इच्छा पूरी होने में कोई भी बाधा आए तो अत्यधिक क्रोध आता है। अर्थात इच्छा पूरी होने में देर लगे तब भी क्रोध आता है और जब इच्छा पूरी नहीं होती तब जीवन में निराशा व्याप्त हो जाती है। इसका मतलब इच्छा पूरी होने पर भी कुछ ज्यादा हासिल नहीं होता और इच्छा पूरी न होने पर भी कुछ हासिल नहीं

होता। यह बिलकुल ऐसे है, जैसे एक सोने की जंजीर है तो एक लोहे की जंजीर। अतः इच्छा रूपी सोने का हिरन, सोने की जंजीर आपको कितनी भी प्यारी लगे, उसकी आदत नहीं डालनी है। वरना अयोध्या से दूर जाना पड़ेगा, दिवाली से दूर जाना पड़ेगा। ऐसे में आप सच्ची दिवाली नहीं मना पाएँगे। दिवाली मनाने के लिए इच्छा को, इच्छा की आदत पड़ने को, अंतर्मन की प्रोग्रामिंग को समझें।

यदि आप सच्ची दिवाली (खुशियाँ) मनाना चाहते हैं तो पुरानी प्रोग्रामिंग बदलकर, नई सोच अपनाएँ। यह सब कुछ एक दिन में नहीं बदलेगा। धीरे-धीरे धीरज और साहस के साथ आगे बढ़ते जाएँ। सजगता के साथ अपने आपसे पूछें, 'मैं समय बिताने के लिए जो दोहरा रहा हूँ, जो कार्य कर रहा हूँ, क्या भविष्य में इसकी आवश्यकता है?' यदि जवाब आए 'नहीं' तो इसे दोहराने की जरूरत नहीं है। अतः वही बात दोहराएँ, जिसकी भविष्य में आवश्यकता है- प्रेम, आनंद, मौन, ध्यान, ज्ञान, रचनात्मकता।

3

शुभ-इच्छा, तेजइच्छा बने

यदि आपमें तैयारी करने की इच्छा नहीं है
तो जीतने की इच्छा का कोई मूल्य नहीं है।

– लुई पास्चर

शुभ–इच्छा मनुष्य के जीवन में सत्य लाने एवं उसे बल प्रदान करने का कार्य करती है। मनुष्य के जीवन को सही मोड़ देने का कार्य शुभ–इच्छा के द्वारा किया जाता है। जिसके उपरांत उसकी भूमिका समाप्त हो जाती है और वह स्वयं ही खत्म हो जाती है। ठीक उसी प्रकार जिस प्रकार होली में सभी लकड़ियों को जलाने हेतु केवल एक लकड़ी का इस्तेमाल किया जाता है। उसी से बाकी लकड़ियों को अंदर ढकेला जाता है और अंत में जब सारी लकड़ियाँ जल उठती हैं, तब आखिरी लकड़ी को भी उन लकड़ियों के ढेर पर डाल दिया जाता है। इसी तरह शुभ–इच्छा की भूमिका होती है, जिसके जरिए अन्य इच्छाओं को आसानी से समाप्त किया जा सकता है।

शुभ इच्छा का महत्त्व

जिनके पास कोई दमदार लक्ष्य नहीं है, उन्हें लक्ष्य रखने का लक्ष्य दिया जाता है। आज की युवा पीढ़ी के लिए यह बहुत ही आवश्यक है। यदि उन्होंने लक्ष्य से संबंधित कुछ सोचा नहीं है अब सोचा जाए। क्योंकि जब वे कोई लक्ष्य सामने रखेंगे तभी तो उस लक्ष्य पर विचार कर, विचारों को योग्य दिशा दे सकेंगे।

आज ही विचारों को दिशा देने की भावना ठान लें क्योंकि अपना लक्ष्य तय करने का लक्ष्य सभी के पास होता है। ऐसा कोई नहीं कह सकता कि हमारे पास कोई लक्ष्य नहीं है। यदि कोई लक्ष्य न भी हो तब भी यह लक्ष्य तो है कि कोई लक्ष्य तय करें। अतः 'मेरे सामने कोई लक्ष्य नहीं है', यह बहाना बनाने की गुंजाइश ही नहीं बचती। यदि शुभ-इच्छा जगी है तो अपना लक्ष्य अपने आप मिल जाता है।

अब आप स्वयं का अध्ययन कर, स्वयं से सवाल पूछें, 'मैं कौन हूँ? और मैं जो हूँ, वह बनकर जीने के लिए मैं कौन सा कार्य करता रहूँ?' धीरे-धीरे आपको इसकी स्पष्टता मिलेगी और लक्ष्य की ओर बढ़ने हेतु आपका कार्य आरंभ हो जाएगा। आपमें नई मदद करनेवाली आदतें बनेंगी, फिर उससे संलग्न इच्छाएँ पैदा होंगी। ऐसा कर आपने अपनी आदतों और इच्छाओं को सही दिशा दी। शुभ-इच्छा की वजह से ही यह सब संभव हो सकता है। इसलिए शुभ-इच्छा को इतना महत्त्व दिया गया है।

अब तक आपने इच्छा और शुभ-इच्छा को समझा। अब आपको तेजइच्छा तक पहुँचना है। इंसान के जीवन में जब शुभ-इच्छा जगती है तब मुक्ति के द्वार खुलते हैं। अतः इसे समाप्त करने की कोशिश न कीजिए। वरना कई लोग सोचते हैं, 'यदि यह बात आगे चलकर छूटनेवाली है तो क्यों न पहले ही इसे छोड़ दिया जाए।' यह बिलकुल ऐसे हुआ जैसे कोई रेल का टिकट खरीदे मगर मंजिल पर पहुँचने से पहले ही उसे यह सोचकर फेंक दे कि 'बाद में इसे फेंकने ही वाले हैं तो क्यों न अभी ही इसे फेंक दिया जाए!' ऐसे इंसान की हरकत को मूर्खता के सिवाय और क्या कहा जा सकता है! इसी तरह शुभ-इच्छा को पहले ही अलविदा नहीं कहना है बल्कि यह तो टिकट के रूप में आपके पास है, जो आपको मंजिल पर पहुँचा सकती है।

तेजइच्छा

तेज[1] इच्छा यानी वह इच्छा जो अंतिम लकड़ी जलाने के बाद जागती है। यह अव्यक्तिगत इच्छा है, जो सेल्फ की अभिव्यक्ति का हिस्सा है। **तेजइच्छा ईश्वरीय गुणों को प्रकट करनेवाली इच्छा है, जो स्वयं को जान लेने के बाद जागती है।**

---

[1] तेज का अर्थ है दो से परे। उदा. तेज आनंद, तेज जीवन, तेज मौन, तेज सत्य।

4

दिलवाली खुशियाँ

सफल व्यक्ति और बाकी लोगों में फर्क शक्ति की कमी का नहीं होता, ज्ञान की कमी का भी नहीं होता। फर्क तो इच्छा की कमी का होता है।

- विन्सेंट टी. लॉम्बार्डी

दिवाली के अवसर पर आकाश में जो हवाइयाँ उठती हैं, उन हवाइयों को आप सभी ने गौर से देखा होगा। जिनमें से कुछ दिशाहीन हवाइयाँ किसी के घर के अंदर तक घुस आती हैं। ठीक इसी प्रकार मन में उठे विचारों को आप सजगता के साथ देखना सीखें। कुछ विचार ऐसे होते हैं, जो नकारात्मक तरंग पैदाकर, हृदय के भीतर घुसकर सब कुछ तितर-बितर कर देते हैं। जिससे संपूर्ण शरीर में कंपन शुरू होकर, जलन सी महसूस होती है। परिणामतः मन में कई प्रकार के विकार उत्पन्न होते हैं, नफरत के अंकुर फूटने लगते हैं। ये सब सही ढंग से दिवाली (खुशियाँ) मनाने का तरीका अर्थात मन में उठे विचार रूपी हवाइयों को न जानने की वजह से होता है। अर्थात् **जब तक जीव इच्छा के वश में होता है, तब तक वह हृदय (तेजस्थान) से दिवाली मनाने का तरीका नहीं जानता।** परिणामतः वह विकारों के भँवर में फँसा रहता है। जिससे मुक्त होने के लिए अयोध्या[1] में रहकर ही, रावण को मारकर दिवाली मनाई जा सकती है।

यकीन मानिए, यह इतना ही आसान है, जितना दिवाली में आकाश में उठी

[1] अयोध्या यानी जहाँ कोई युद्ध नहीं है, अ-युद्ध है।

हवाइयों को देखना। जो संकेत करता है कि आप भी अपने विचारों को हवाइयों की भाँति देखें।

जिसके उपरांत आप स्वयं को जान पाएँगे... 'मैं कौन हूँ?' के जवाब को पहचान पाएँगे। क्योंकि आप साक्षी हैं इसलिए आप यह खेल देख पाएँगे। देखना आपका स्वभाव है लेकिन लोगों के मन में मान्यता होती हैं कि 'मुझे ये विचार न आएँ... ये न दिखाई दें...' आदि।

जब लोग ध्यान में बैठते हैं और उनके मन में तरह-तरह के विचार उठते हैं तो वे कहते हैं, 'आज ध्यान ठीक से नहीं हुआ।' मगर वे समझ ही नहीं पाते कि विचारों को जाननेवाला अगर सजग होता तो कोई भी हवाई उनके घर के अंदर नहीं आ पाती। कहने का अर्थ है, **यदि आप सजग हों, यदि आपके अंदर ज्ञानाग्नि प्रखर है तो विकार उत्पन्न करनेवाले विचार आपको छू भी नहीं पाएँगे।**

आपके घर के आस-पास से जब लोग गुजरते हैं तो क्या आपको कोई तकलीफ होती है? नहीं। लेकिन जब कोई जबरदस्ती आपके घर के अंदर घुस आए तो वह तकलीफदायक होता है। ठीक इसी प्रकार विचार जब आपके मन से होकर गुजरते हैं तो वे तकलीफ का कारण नहीं बनते लेकिन यदि वे आपके मस्तिष्क और मन पर हावी हो जाते हैं तब आप बौखला उठते हैं। अतः इससे पहले कि विचार आप पर हावी होकर आपको पतन की ओर ले जाएँ, आप स्वयं से प्रश्न पूछिए, 'आप किसका स्वागत कर रहे हैं?' स्वयं का आत्मपरीक्षण कीजिए कि 'इस समय मेरी उपस्थिति कैसी है? यदि मेरे जीवन में दुःख प्रवेश कर रहे हैं तो कहीं मुझसे कोई गलती तो नहीं हो रही है? अनजाने में कहीं मैं कुदरत को ऐसा संकेत तो नहीं दे रहा हूँ, जिससे मेरे जीवन में दुःख आसानी से प्रवेश कर रहा है!' इस तरह निरंतर किए गए आत्मपरीक्षण द्वारा आप सजग और परिपक्व बनेंगे।

जब व्यक्ति परिपक्व हो जाता है तब उसकी देहबोली (बॉडी लैंग्वेज) सही हो जाती है। यह देहभाषा संकेत देती है कि आप किस तरह के लोगों से मिलना चाहते हैं, किस तरह के लोगों से नहीं मिलना चाहते हैं। जब आपकी तरफ से कुदरत को सही और स्पष्ट संकेत जाता है, तब आप महसूस करेंगे कि कोई भी नकारात्मक विचार आपके अंदर नहीं घुस पाएगा, जो दिवाली का मजा किरकिरा कर दे। ऐसे में आप दिवाली का सही आनंद ले पाएँगे।

यदि उन लोगों से सवाल पूछा जाए, जिनका दिवाली में घर जल गया या जो फटाके जलाते समय स्वयं जल गए या उनका कोई अंग-भंग हो गया कि वे दिवाली को किस तरह याद रखते हैं तो वे यही कहेंगे, 'हमने दिवाली मनाना छोड़ दिया है क्योंकि मनाते समय जो बातें स्पष्ट होनी चाहिए थीं, उनसे हम अनजान थे।'

अतः यह बात सदा याद रखें कि दिवाली मनवाली नहीं बल्कि दिलवाली होनी चाहिए। इसके लिए यह जानना आवश्यक है कि **अब तक आप इच्छा, आकांक्षा, महत्वाकांक्षा, ख्वाहिश, अभिलाषा या चाहत को कैसे ले रहे थे और ये चाहतें किन आदतों की वजह से प्रबल हो गईं।** वाकई वह आपकी इच्छा थी या खाली वक्त का परिणाम था। यह सोचने का विषय है, इस पर अवश्य मनन करें।

5

अंतर्मन- एक खामोश सेवक

अनिच्छुक व्यक्ति के लिए कोई काम आसान नहीं होता।

- थॉमस फुलर

मनुष्य के जीवन में एक लक्ष्य होना चाहिए किंतु दूरदर्शिता न होने के कारण वह इसे महत्त्व नहीं देता या उससे अनजान रहता है। उदा. लक्ष्य के अभाव में लोगों को कितने बच्चे पैदा हो जाते हैं! उन्हें ज्ञात ही नहीं होता कि हमें जीवन में कौन सा लक्ष्य साधना था। यदि लक्ष्य पहले से ही तय किया होता तो इतने बच्चे पैदा नहीं होते। ठीक इसी प्रकार समय था इसलिए मनुष्य ने इच्छाएँ उत्पन्न की हैं। किंतु वह इस बात से बिलकुल अनजान है कि जरूरत के बगैर इच्छा पैदा करना एक आदत बन जाएगी और आदत बन जाना किसी खतरे से कम नहीं। **इंसान इच्छा पैदा करता है, उसे पूरी करता है, बात यहीं समाप्त हो जाती है। मगर जब इच्छा इंसान की आदत बन जाती है तब वह संकट में पड़ जाता है।**

जब भी कोई बात दोहराई जाती है तब 'यह हमारे काम का है या नहीं है', इसकी अच्छी तरह से तफ्तीश किए बिना, हमारा अंतर्मन उसे ग्रहण कर लेता है और वैसी आदत बना लेता है। ऐसे में कुछ आदतों से आपको सहूलियत होती है। सुबह से लेकर शाम तक आप अनगिनत कार्य संपन्न करते हैं। जैसे- गैस पर आपने कुछ रखा है, लगे हाथ आप बच्चों को तैयार कर रहे हैं, नाश्ता बना रहे हैं, दूसरों को खिला रहे हैं आदि। ये सब काम आप एक साथ इसलिए कर पाते हैं क्योंकि आपको

इसकी आदत पड़ चुकी है। बिना सोचे आपका अंतर्मन आपको पूरा सहयोग देता है ताकि आपके बाह्य मन को किसी प्रकार की चिंता न करनी पड़े। बाह्य मन तो केवल निमित्त का कार्य करता है। एक साथ बहुत सारे कार्य वह संपन्न नहीं कर सकता। यदि आपको इस समय दो नए कार्य एक साथ करने के लिए दिए जाएँ तो आदत न होने की वजह से उन्हें करना आपके लिए असंभव सा प्रतीत होगा।

यदि आपसे कहा जाए कि आप शर्ट का बटन लगाते समय गाना गाएँ तो आपको किसी भी प्रकार की दिक्कत नहीं होगी क्योंकि हाथ अपना कार्य संपन्न कर रहे हैं और मुँह अपना कार्य। ठीक इसी प्रकार आप एक ही समय में ड्रेस पहन रहे होते हैं, टी.वी. पर कोई कार्यक्रम देख रहे होते हैं, खाना बना रहे होते हैं; यह आपकी आदत है। आपकी आदत का चमत्कार ही है कि आप एक ही समय पर इतने सारे कार्य संपन्न कर पाते हैं। कुदरत द्वारा ये आदतें इसलिए डलवाई जाती हैं ताकि आपके समय की बचत हो। यदि आपका समय बचता है तो आप अपने लक्ष्य की ओर विशेष ध्यान दे सकते हैं। कुदरत की यह कितनी सुंदर व्यवस्था है! किंतु मनुष्य के जीवन में जब कोई लक्ष्य नहीं होता तब चीजें बेवजह बार-बार दोहराई जाती हैं। जो एक प्रकार से आदत बन जाती है। फिर समय मिलते ही वे इच्छाएँ जाग्रत हो जाती हैं, जिनकी वास्तव में कोई आवश्यकता नहीं होतीं। जैसे- 'चलो फ्रीज खोलकर कुछ खाते हैं, चलो घूमने चलते हैं, चलो पार्टी करते हैं' आदि। इस तरह जिस व्यक्ति की जो आदत होती है, उस आदत का वह आदि बन जाता है।

जब कभी आप खाली बैठते हैं तो आपको अपनी आदत के अनुसार विचार आने शुरू हो जाते हैं। जो असजग होगा, वह तुरंत अपनी आदत के अनुसार उठेगा एवं अपनी इच्छा की पूर्ति करेगा। वह इस बात से अनभिज्ञ होगा कि इस समय इस बात की आवश्यकता नहीं थी। इससे यह समझें कि अपना समय बचाने के लिए आदत के रूप में जो खूबसूरत व्यवस्था कुदरत ने की है, वह फंदा बन गई। आज आप अपना स्व-परीक्षण कर यह जान सकते हैं कि ऐसी कितनी ही आदतें हैं, जो निरर्थक ही आपने पाल रखी हैं, जिस कारण आप जीवन में दुःख झेल रहे हैं।

इसे ऐसे समझें कि कोई इंसान बाहरी मुल्क से आया है और आपको उसकी जासूसी करने का काम दिया गया है। जो भी वह कर रहा है, उसे आपको डीकोड करना है। उससे आपको कोई न कोई राज मिलनेवाला है। उसकी हर हरकत पर आपको ध्यान रखना है। हर पल उसका पीछा करना है। वह इंसान एकदम खाली है। ऐसे में वह दुकानों पर जाकर मोल-भाव करता है, माचिस की तीली निकालता है, जलाता है, फेंकता है। उसे तो अपना समय व्यतीत करना होता है। आपको यह मालूम नहीं है इसलिए आप उसकी सब बातें बड़े ध्यान से नोट करते हैं।

आप अपना कार्य पूरी ईमानदारी के साथ करते हैं। आप सोचते हैं, माचिस की तीली में जरूर कोई राज़ होगा। फिर आप उन दुकानों में भी जाते हैं, जहाँ वह वस्तुओं के भाव पूछा करता है। आप उसकी प्रत्येक गतिविधि की जानकारी लेकर, कुछ रहस्य ढूँढ़ने की कोशिश करते हैं। जिसकी वजह से आपका समय बेवजह बरबाद हो रहा है क्योंकि वह अपने खाली समय में जो भी कर रहा है, आप उसे गंभीरता से ले रहे हैं।

बिलकुल इसी तरह आपका अंतर्मन भी आपकी हर बात को गंभीरता से लेता है। आपकी हर हरकत का निरीक्षण करता है। आपकी हर बात उसे आवश्यक महसूस होती है। इसलिए वह उन बातों का जुगाड़ कर लेता है, चाहें वे जरूरी हों या न हों।

देखिए, आपका अंतर्मन आपको सहयोग करने के लिए कितना तत्पर है। इंसान को आगे थोड़ी भी तकलीफ नहीं होनी चाहिए इसलिए वह तेजी से सीखता है, आदतें बनाता है। कहने का अर्थ है- अंतर्मन, मन का एक बड़ा हिस्सा और आपका खामोश सेवक है।

आपका अंतर्मन आपकी हर संभव सहायता करना चाहता है। मगर आप इस बात से पूरी तरह अनभिज्ञ हैं कि अपने अंतर्मन से कौन सी सहायता ली जाए क्योंकि इस विषय पर आपने कभी अभ्यास ही नहीं किया है। मजे की बात तो यह है कि आपका अंतर्मन आपकी सहायता करना चाहता है किंतु आप उससे सहायता लेने के लिए उत्सुक ही नहीं है। आपकी स्थिति ठीक उस व्यक्ति की तरह है, जिसके हाथ में अलादीन का चिराग पड़ गया हो और वह सोचने लगे कि इससे क्या माँगा जाए। स्थिति यह है कि आपकी समझ में ही नहीं आ रहा है कि अंतर्मन से क्या माँगा जाए।

तात्पर्य- अपने आपमें ऐसी आदतें निर्माण करें, जो आपके अंतर्मन में गहराई तक जाएँ। जिसके परिणामस्वरुप अंतर्मन के सहयोग से वे आदतें आपको सफल बनाने में सहायक बन जाएँ। उदा. अपने जीवन का लक्ष्य तय करें, उस लक्ष्य पूर्ति हेतु आज से ही कार्य आरंभ करें, अपना ध्यान सदा अपने आदर्श पर रखें, जीवन में कुछ उसूल (प्रिन्सिपल) बनाएँ। सही दिशा में सोचने की आदत निर्माण करें... एक ऐसी डायरी बनाएँ, जिसमें विश्वास के साथ लिखकर, कुदरत को आपको जो चाहिए उसका सही संकेत दें आदि।

6

अनावश्यक आदतों से मुक्ति

सकारात्मक शब्द दोहरायें

ईश्वर ने आपको वह काम करने की प्रबल इच्छा दी ही नहीं है, जिसकी आपमें योग्यता नहीं है।

-ओरिसन स्वेट मार्डन

मन, अंतर्मन, इच्छा, आदत ये सारी बातें बहुत गहरी हैं। इन्हें समझकर ही इच्छा और इच्छा मुक्ति से संबंधित स्पष्टता मिल सकती है ताकि खाली समय में जब आप किसी विचार को दोहराएँगे तो यह सोचकर सजग हो जाएँगे कि अंतर्मन इसकी आदत बना रहा है। यदि सजगता न हो तो केवल खाली समय के कारण आप बेवजह ही इसे दोहराते हैं। कैसे, आइए इसे एक उदाहरण से समझते हैं।

कुछ साल पहले जब नया-नया वीडियो प्लेयर आया था तब लोग पूरी रात तीन-तीन, चार-चार फिल्में देखते रहते थे क्योंकि उसका पूरे दिन का किराया देना होता था। तीन घंटे में एक फिल्म देखकर वीडियो प्लेयर लौटाएँ या तीन फिल्में देखकर लौटाएँ, किराया सौ रुपए ही देना पड़ता था। अतः लोग इस अवसर का लाभ लेने हेतु एक साथ तीन-चार फिल्में देख लेते थे। अंतर्मन ने इसका यह अर्थ निकाला कि यह काम लगातार करना है।

देखें, किस तरह इंसान लालचवश कुछ चीजें बार-बार करता है, जिनकी आवश्यकता नहीं है। बस! कुछ मुफ्त में मिल रहा है इसलिए इंसान में ज्यादा पाने की इच्छा जाग्रत हो जाती है। ऐसे में अंतर्मन तो यह सोचता ही नहीं कि उसे मुफ्त

में मिल रहा है इसलिए वह ऐसा कर रहा है। इसके विपरीत वह यह सोचता है कि यह आदत उसके काम की है।

जरा सोचें, अंतर्मन आपकी कितनी सहायता कर रहा है ताकि बाह्य मन को कभी सोचना ही न पड़े। अंतर्मन इतनी वफादारी से कार्य करता है कि वह कभी यह सवाल भी नहीं करता कि आपको इसकी आवश्यकता है या नहीं। बड़ा विश्वसनीय नौकर है। कैसी भक्ति है! अंतर्मन की खासियत हमें सीखनी चाहिए।

अब जब आपको यह ज्ञान मिल चुका है तो कुछ दोहराने से पूर्व आप स्वयं से कह पाएँ कि 'सिर्फ खाली समय है इसलिए मैं यह कर रहा हूँ या इसकी मुझे सचमुच जरूरत है।' मनुष्य के जीवन में करने के लिए कितना कुछ है किंतु मनुष्य उस ओर ध्यान ही नहीं देता। वह अनावश्यक कार्य करने में अपना समय बरबाद करता रहता है। सिर्फ मनन से बचना चाहता है। वह सोचता है, 'मैं अभी से मनन क्यों करूँ? मनन करने के लिए तो काफी समय है।' अतः जो दिखे, उसी के पीछे भागने लगता है। ऐसे में खुद से सवाल पूछें, 'क्या वाकई मैं यह करना चाहता हूँ?' **सही समय पर सही सवाल पूछनेवाले कभी दुःखी नहीं होते, न ही बोर होते हैं। वे अपने भविष्य को उज्ज्वल बनाते हैं क्योंकि वे वर्तमान में सही बीज डाल रहे होते हैं।**

यह कला आप भी सीख जाएँ, अपनी इच्छा को देख पाएँ। समझ पाएँ कि 'अमुक इच्छा आदत से जगी है या वर्तमान की जरूरत है?' आदत से जगी इच्छाओं के प्रति यदि सजगता आ जाए और उन इच्छाओं को दोहराया न जाए तो अंतर्मन को एक नया संकेत मिलेगा। आदत तोड़ने की भी तो आदत डालनी है न! एक बार आपको आदत तोड़ने की आदत पड़ गई तो खाली समय में आप सोच पाएँगे कि 'हमें कौन-कौन सी आदतें पड़ गई हैं, जिनकी अब कोई आवश्यकता नहीं है।'

अनावश्यक आदतों को तोड़ने की इच्छा मन में जगेगी तो आप सजग हो जाएँगे और अंतर्मन को वैसे संकेत देंगे। दृश्य आया... आपने यंत्रवत करना चाहा... मगर आपने अंतर्मन को सजग कर दिया है इसलिए वह नहीं हुआ। ऐसा एक बार, दो बार, तीन बार होगा तो आदत टूट जाएगी। अंतर्मन समझ जाएगा कि अब इस आदत की आवश्यकता नहीं है। इस तरह खाली समय का सदुपयोग हो जाएगा। ऐसा होने के लिए आपको इस विषय को गहराई से समझना होगा। वरना पुरानी गलतियाँ बार-बार दोहराई जाने की संभावना बनी रहती है। जिसके परिणामस्वरुप एक के बाद एक चाहत जागती रहती है।

जब चाहत जगती है तब आदत पड़ जाती है और आदत की वजह से इच्छाएँ स्वयं ही उत्पन्न होती हैं। जब इच्छाएँ जगती हैं तब आदत के अनुसार उसे पूरा करना पड़ता है। यह कैसा चक्र है! इस चक्र में फँसकर अनावश्यक आदतों में पड़कर आप अपनी इच्छाओं को पूरा करते रहते हैं। आपको पता ही नहीं चलता कि इसमें आपका कितना समय नष्ट हो गया है।

बच्चा पहले स्कूल जाता है। फिर बड़ा होकर कॉलेज जाता है किंतु वह लक्ष्यहीन होता है। कौन सी आदतें डालनी हैं, कौन सी नहीं, इस बात से वह अनभिज्ञ होता है। इसलिए हर एक के जीवन में लक्ष्य होना जरूरी है। यदि इंसान अपना लक्ष्य जल्दी तय कर ले तो अंतर्मन को जल्दी प्रशिक्षण दिया जा सकता है। वरना आगे जाकर पुरानी आदतों को तोड़कर, नई प्रोग्रामिंग करने में इंसान का काफी सारा समय नष्ट हो जाता है।

इस तरह आपने अब तक इच्छाओं को समझा और इच्छा जगते ही क्या होता है, यह जाना। इच्छा जगते ही दुःख भुगतने का कार्यक्रम बन चुका होता है। अंतर्मन में अंदर दुःख मनाने का सॉफ्टवेयर डाल दिया गया है, 'दुःख कैसे भुगतें?' खाली हुए कि प्रोग्राम शुरू हो जाता है- आज का प्रोग्राम क्या है दुःखी होने का? आपका अंतर्मन आपको शब्दों में नहीं बताता किंतु उसने अपने मस्तिष्क में यह दर्ज कर रखा है। अब आपको यह सब बदलना है। क्योंकि आपने यह समझ लिया है कि आदत की वजह से इच्छा जगती है। अतः यह पूरी हो, न हो या देर से पूरी हो, तीनों घटनाओं में इंसान के हाथ केवल दुःख ही लगता है।

7

आदत तोड़ने की उपयोगी आदत

इच्छा सफलता का शुरुआती बिंदु है। लेकिन यह कभी न भूलें कि जिस तरह छोटी आग से कम आँच मिलती है, उसी तरह कमजोर इच्छा से कमजोर परिणाम मिलते हैं।

– नेपोलियन हिल

सत्य के मार्ग पर चलते हुए आपके भीतर ऐसी एक भी आदत न रहे, जो आपने खाली समय में डाल रखी है और अंतर्मन ने आपसे पूछे बिना उसे पाल रखा है। अर्थात आपके अंतर्मन ने आदत तो डाल दी लेकिन आपसे पूछा भी नहीं और न कभी आपको बताया कि 'मैंने यह आदत डाल दी है।' यह भी नहीं बताया कि 'जब तुम्हारे साथ ऐसा होगा तो मैं यह करूँगा।' इन सारी आदतों को ध्यान साधना के द्वारा तोड़ा जा सकता है।

ध्यान-साधना की शक्ति से आप अंतर्मन की बातों पर आँख मूँदकर विश्वास नहीं करते। आप उसे देखकर, देखनेवाले को देखने का अभ्यास करते हैं। इससे अंतर्मन की प्रोग्रामिंग बदल जाती है। ध्यान साधना के साथ कितना बड़ा कार्य अदृश्य में होने लग जाता है, इसकी खबर तक आपको नहीं होती। भले ही आप इस बात से अनजान हैं किंतु आप मुक्ति का एहसास करने लगते हैं। आप महसूस करते हैं कि 'कुछ तो हुआ है, जिसके कारण अब हम इच्छाओं में ज्यादा अटकते नहीं। अब हम आदतों के वश में होकर इच्छाओं के पीछे भागते नहीं क्योंकि अब हम धीरज से परिचित हुए हैं। अब हम हर कार्य धीरज से करते हैं, तब हमारी कृति

रिऐक्शन न रहकर, ऐक्शन बन जाती है।'

अतः अपनी आदत बदलने के लिए जो अभ्यास आपको बताया गया है, चाहे वह आपको समझ में न आया हो, फिर भी ईमानदारी से अपना कार्य करते रहें। वरना लोग सोचते हैं कि 'जब मुझे पूरा समझ में आएगा तब मैं करूँगा' तो अंतर्मन उसकी यह आदत भी दर्ज कर लेता है कि जब तक पूरा नहीं समझेगा, तब तक काम नहीं करना है। ऐसे समय पर जो आपको समझ में न आया हो, उसे पार्किंग में रखने की आदत काम में आती है। पार्किंग में रखना यानी जो बात समझ में न आई हो, उस पर अटकलें लगाए बगैर आगे बढ़ जाना। वक्त आने पर स्पष्टता मिल जाती है। वरना लोगों में यह प्रोग्रामिंग हो गई है कि समझ में नहीं आया तो काम न करें। इसलिए लोग नई बातें सीखने में असमर्थता महसूस करते हैं।

उपयोगी आदत

कुछ गृहणियाँ सोचती हैं, 'किसी व्यंजन की विधि समझकर ही मैं उसे बनाऊँगी।' उसी तरह कोई कहता है, 'पुस्तक की थीम समझ में आए तो ही मैं पुस्तक बनाऊँगा।' ऐसे में आपसे कहा जाएगा, 'आप सिर्फ काम शुरू करो। इस चक्कर में मत पड़ो कि पहले मुझे पूरा समझे। इसमें अपना समय न गवाएँ।' अर्थात अपने आपमें ऐसी आदत ही न डालें कि पहले यह-यह हो जाए, बाद में मैं काम करूँगा। पूरी तरह से समझ में न भी आए तब भी कार्य का आरंभ तो किया ही जा सकता है। खोज कैसे करनी है, यह पूरी तरह समझ में न आए तब भी खोज करने की चेष्टा तो करनी ही चाहिए। यही बात पुस्तक लिखने के बारे में भी लागू होती है। पुस्तक के विषय को समझने में समय न गवाएँ बल्कि लिखना शुरू करें। फिर आपके ही शब्दों में आपको तारतम्य मिलने लग जाएगा, अपने आप शब्द साकार हो उठेंगे।

जब इलेक्ट्रॉनिक टाईप राईटर का आविष्कार हुआ था तब लोगों को सबसे ज्यादा खुशी इस बात की हुई थी कि अब पेपर पर कट करने की निशान नहीं आएगी, जो साधारण टाईप राईटर में दिखाई देती थी। जिस कारण गलती होने पर सुधार करने में दिक्कत आती थी। लेकिन इलेक्ट्रॉनिक टाईप राईटर से शब्दों में हुई गलती को सुधार करने की सुविधा से लोग बहुत खुश थे। मगर आज लोग आश्चर्य करना भूल गए हैं वरना एक छोटे से रेडियो को देखकर भी आश्चर्य किया जा सकता है कि कैसे उसमें संगीत बजता है। आश्चर्य करनेवाले तो आज भी आश्चर्य करते

हैं। आज कंप्यूटर की वजह से यह और आसान हो गया है। पूरा री-राईट करने की भी आवश्यकता नहीं पड़ती। जो पहले से लिखा हुआ है, उसका भी उपयोग किया जा सकता है।

इसी तरह 'खोज नहीं समझी तो नहीं करेंगे... ज्ञान की बातें समझ में नहीं आ रही हैं तो श्रवण नहीं करेंगे... ध्यान से कोई लाभ नहीं हो रहा है तो ध्यान नहीं करेंगे... मनन से उलझन होती है तो यह नहीं करेंगे... ऐसी आदत अपने आपमें कदापि न डालें। यदि आपमें यह आदत है तो सोचकर देखें, क्या यह आदत सिर्फ ध्यान, ज्ञान, मनन या खोज (आत्मपरिक्षण) के साथ ही लागू होगी? नहीं। इंसान की कोई भी आदत उसके जीवन के सभी अंगों पर लागू होती है। शारीरिक, मानसिक, सामाजिक, आर्थिक, आध्यात्मिक हर क्षेत्र में वही आदत काम करती है।

यदि आपने अपने आपमें यह आदत विकसित की कि पहले थोड़ा काम किया... फिर मनन किया, जरा स्पष्टता मिली तो थोड़ा और अच्छे से काम किया, फिर मनन किया तो यह उपयुक्त है। इस आदत के कारण नव निर्माण होते जाता है। लेकिन खेद की बात यह है कि लोगों में यह आदत नहीं होती। विश्व में ९०% से अधिक लोगों में यह आदत नहीं है इसीलिए कितने ही ऐसे कार्य हैं, जो हो सकते थे लेकिन रुके हुए हैं। लोग इंतजार कर रहे हैं कि 'कोई इसका अभ्यास करेगा, इसे आसान बनाएगा, हमें बताएगा, फिर हम अपना कार्य आरंभ करेंगे।' विश्व में केवल १०% लोग ऐसे हैं, जो कार्य आरंभ करते हैं, बाद में अन्य लोग उनका साथ देने लगते हैं। मगर शुरुआत करनेवालों को यह आदत डालनी है कि कुछ समझ में न आए, फिर भी कार्य शुरू कर देना है। आगे इच्छा भी उसी आदत से जागती है क्योंकि शुरुआत करना ही नींव का निर्माण होता है।

अतः अपनी शुभ इच्छा को बल प्रदान कर, उसे सत्य की सेवा में लगाए ताकि सत्य प्राप्ति में वह आपके लिए सहायक बने। शुभ इच्छा के प्रभाव से यदि आपने अपने अंदर अच्छी आदतें डाल दीं तो आपका अंतर्मन भी पूरी फौज के साथ आपकी सेवा में आपके लिए मददगार साबित होगा। ऐसे में जितनी आपकी सजगता बढ़ेगी, उतना ही आपका अंतर्मन क्रियाशील होता जाएगा।

8

अंतर्मन एवं बाह्यमन में समन्वय

जीत की इच्छा जीतने की पहली शर्त है।

– फर्डिनन्ड फोक

आपका अंतर्मन आपका सेवक बन गया है, फिर भी केवल अज्ञान और बेहोशी के रहते, आँख मूँदकर कार्य कर, वह आपको मुसीबत में डालता है।

जैसे एक राजा की कहानी में बंदर ने मक्खी को मारने के लिए राजा की नाक काट डाली। ऐसी आपकी स्थिति न हो इसलिए सही-गलत को समझने की बुद्धि विकसित करें।

अतः बाह्यमन और अंतर्मन दोनों में तालमेल बिठाना आवश्यक है। जिसके लिए बाह्यमन और अंतर्मन ने ध्यान के दौरान एक दूसरे से 'हूँ आर यू?' (आप कौन हैं?) यह प्रश्न पूछना चाहिए। फिर जो भी जवाब आए, आने दें। सुनते-सुनते सब प्रकाश में आ जाएगा।

एक परिवार में जब पति, पत्नी, बच्चे सभी एक प्लेटफॉर्म पर आकर बातचीत करते हैं तब उन्हें एक-दूसरे की सोच और जरूरतें पता चलती हैं। इसी तरह अंतर्मन एवं बाह्यमन जब एक प्लेटफॉर्म पर आकर बातचीत करेंगे तो पुरानी आदतें टूटकर, नई बनेंगी।

जाने-अनजाने में हम जैसी इच्छा रखते हैं, मृत्यु के बाद (पार्टटू में) वही दृश्य निर्मित करते हैं। वह दृश्य तो बिलकुल भी निर्मित न हो, जो बाहरी शरीर को ध्यान में रखकर बनाया गया है। बाहरी शरीर के साथ आप खुशी का जो भी फॉर्मूला बना लेते हैं, उसकी मृत्यु उपरांत जीवन में कोई कीमत नहीं है। उदा. यदि किसी ने केवल पैसों के साथ अपनी खुशी जोड़ रखी है तो वे पार्ट टू में भी पैसे इकट्ठा करने की सोचेंगे। जबकि वहाँ पर करने योग्य कितने सारे रचनात्मक कार्य हैं।

यह रहस्य किसी ने पृथ्वी जीवन में ही जान लिया तो उसके लिए यहीं स्वर्ग है। अब जो स्वर्ग में है, वही समझ सकता है कि सामनेवाला नरक में है। मगर सामनेवाला कहेगा, 'मैं तो खुश हूँ। मेरे चारों ओर नोटों की गड्डियाँ रखी हैं, मैं तो स्वर्ग में हूँ।' मगर यह केवल उच्च अवस्था में रहनेवाला समझ सकता है कि बेचारे की क्या संभावना है और वह क्या करते बैठा है? आज जिन पैसों की खातिर सत्य को दाव पर लगा रहा है, उन पैसों की पार्ट टू में कोई कीमत नहीं है। बताने का तात्पर्य है कि जिनके जीवन का मूल्य केवल पैसों से संबंधित है, वे बाहरी बातों में अटक सकते हैं, सत्य से भटक सकते हैं।

स्वर्ग-नर्क की कल्पना से बाहर आएँ

पुराण कथित स्वर्ग एवं नरक की कल्पना आज भी मनुष्य के मस्तिष्क में जड़ जमाए बैठी है। लोग पुरानी मान्यता में रहते हुए स्वर्ग की कल्पना करते हैं कि स्वर्ग में दूध की नदियाँ बहती हैं... ऐसी-ऐसी परियाँ रहती हैं... जबकि वह नरक है। हकीकत में देखा जाए तो यह कितना बड़ा धोखा है। जो नर्क इंसान को स्वर्ग सा प्रतीत हो रहा है, उसे किस तरह के प्रवृत्तिवाले मनुष्यों ने बनाया होगा, यह सोचने का विषय है।

जिन्हें पार्टटू में भेजा गया है, वहाँ उन्होंने क्या कुछ नहीं बनाया है, 'जैसे दूध की नदियाँ बह रही हैं', सुनकर लगेगा वाकई स्वर्ग में दूध की नदियाँ बहती हैं। हकीकत में तो दूध की आवश्यकता स्थूल शरीर को पृथ्वी पर होती है। पार्टटू में स्थूल शरीर है ही नहीं तो वहाँ दूध की क्या जरूरत? कैल्शियम वगैरह की आवश्यकता सूक्ष्म शरीर को नहीं होती। दूध की नदियाँ बहना तो स्थूल शरीर की नजर में स्वर्ग है। पहले लगेगा 'आहा! क्या स्वर्ग बनाया है, दूध की नदियाँ बह रही हैं। नहाने से त्वचा में निखार आएगा।' लेकिन वह तो नरक है। यह गूढ़ रहस्य आपको तब समझ में आएगा, जब आप स्वयं को जानने लगेंगे।

स्वयं को जानकर ही पार्टटू को जाना जा सकता है। वरना अज्ञान में लोगों ने स्वर्ग-नर्क का चित्र बनाया है और बेधड़क बेचा भी है, यह कहते हुए कि 'स्वर्ग ऐसा-ऐसा होता है।' जरा सोचिए, वे लोग किन वृत्तियों में फँसे होंगे, जिन्होंने नरक बनाया, साथ ही औरों को भी वही लक्ष्य दिया। जिसके परिणामस्वरुप आज लोग स्वर्ग-नर्क की कल्पना कर, इच्छा रखते हैं कि 'ऐसी जगह पर जाना है और ऐसी जगह से बचना है।'

9

किस ख्वाहिश पर दम निकले

इच्छा ही सब दुःखों का मूल है।

- बुद्ध

इच्छाएँ अनंत प्रकार की होती हैं। किस वक्त कौन सी इच्छा जगी है, यह जानने के लिए इच्छाओं को समझना आवश्यक है। फलाँ इच्छा स्थूल शरीर की है या सूक्ष्म शरीर की है? स्वयं को क्या मानकर आप इच्छा को पाल रहे हैं? स्वयं को शरीर मानकर इच्छा रखी है या स्वयं की स्पष्टता के साथ कोई इच्छा जगी है, यह समझना जरूरी है। फलाँ इच्छा तेजइच्छा है, शुभ-इच्छा है या व्यक्ति (अहंकार) की इच्छा है, यह अंतर परखना आवश्यक होता है।

जब कोई शायर इस तरह शायरी करता है कि 'हर ख्वाहिश पर दम निकले' तब यह प्रश्न उठना चाहिए कि वह कौन सी ख्वाहिश है, जिस पर दम निकलेगा तो स्वर्ग की प्राप्ति होगी... चेतना के सातवीं लेवल पर जाओगे... जन्नत में जाओगे... या नरक में जाओगे...? ऐसी कौन सी इच्छा है, जो शरीर की मृत्यु के बाद भी मूल लक्ष्य की ओर अग्रसर करेगी! किस ख्वाहिश पर दम निकले?

ये बातें आपकी समझ में आ गईं तो आप कहेंगे, 'मेरी इच्छा पूरी हो या न हो, प्रोसेस में जो भी ईश्वरीय इच्छा है, वह पूरी हो।' अर्थात आपको ज्यादा कुछ करने की गुंजाइश ही नहीं बचेगी। कहने का तात्पर्य है कि ज्ञान प्राप्त किया हुआ

इंसान इस समझ के साथ हर घटना को स्वीकार करेगा कि जो कुछ हो रहा है, उसमें ईश्वर की इच्छा ही पूरी होनेवाली है। अतः किसी भी तरह का व्यवधान न लाते हुए शुभेच्छा पर कार्य करते रहें। अपनी और ईश्वर की इच्छा को एक करके मजे से देखें। फिर आप चुंबक (सकारात्मक) बनकर हर पल आनंद पा सकेंगे।

आज आपके जीवन में जो भी चल रहा है, वह चलता रहे, उसमें कोई दिक्कत नहीं है। सिर्फ इस बात को ध्यान में रखें कि आप कौन सी बातें दोहरा रहे हैं। आप जो दोहराते हैं, वही आदत बन जाती है और आपका अंतर्मन उसे पूरा करने में आपको सहयोग करता है। अतः आप पहले ही यह तय कर लें कि 'अब मुझे होशपूर्वक चीजें दोहरानी हैं। भविष्य में मैं जो चाहता हूँ, मेरा अंतर्मन वही सीखे। मैं वही बार-बार दोहराऊँगा तो आश्चर्य घटित होगा।'

ठीक इसी प्रकार स्वास्थ्य की भी एक आदत होती है, उसे सीख लेंगे तो स्वस्थ रहेंगे। खुश रहने की भी एक आदत होती है, उसे सीख लेंगे तो खुश रहेंगे। आपका अंतर्मन तो आपको बोनस में खुशी देता रहेगा। एक खुशी तो अपने आपको समझने से है, साथ ही अंतर्मन स्वयं भी कुछ दे रहा है क्योंकि अब आपको सदा खुश रहने की आदत ही पड़ गई है। अतः आप सदैव खुश ही रहेंगे। कैसी सुंदर व्यवस्था है! जितना मनन करेंगे, उतना आश्चर्य करेंगे। ये बातें आपको सुनने एवं पढ़ने को मिल रही हैं, यह कृपा है। वरना कृपा हो जाती है और मालूम ही नहीं पड़ता।

जैसे कोई इंसान मर रहा हो और आप उसे बताते हैं, 'तुम्हें पता है क्या तुम्हारे चाचा ने तुम्हारे नाम पर दस करोड़ की संपत्ति रखी है?' ऐसे में वह बेचारा कहेगा, 'अब तो मैं मर रहा हूँ, अभी बता रहे हो! नहीं बताया होता तो अधिक अच्छा होता।' किंतु आपके साथ ऐसा नहीं हुआ। अच्छा है आपको बहुत पहले ही पता चल रहा है कि आप पर इतनी कृपाएँ हो चुकी हैं। आपको सुनने के लिए मिल रहा है इसलिए आप मनन कर पाएँगे। मनन करेंगे तो पता चलेगा कि रिक्त समय में गलत इच्छाओं को दोहराकर जो आदतें बन रही हैं, उनकी भविष्य में जरूरत ही नहीं हैं। यह प्रकाश में आने पर अनावश्यक आदतें और इच्छाएँ समाप्त हो जाएँगी।

9

इच्छा मुक्ति ध्यान

इच्छा मुक्ति ध्यान करने के लिए कोई निश्चित शारीरिक स्थिति, स्थान या आसन की आवश्यकता नहीं है। उठते, बैठते, चलते, फिरते भी यह ध्यान किया जा सकता है। फिर भी जब तक आप इसमें निपुण नहीं हो जाते तब तक मन ही मन ध्यान करने की एक निश्चित अवधि तय करें।

आइए, अब नीचे दी गई विधि अनुसार हर दिन इसका अभ्यास करें।

१ इच्छा मुक्ति ध्यान करते समय आप जो भी क्रिया कर रहे हैं, उसे जारी रखें। जैसे-आप बैठे हैं तो बैठे ही रहें, खड़े हैं तो खड़े ही रहें, चल रहे हैं तो चलते रहें।

२ महसूस करें कि इच्छाओं के प्रति आपकी जाग्रति बढ़ रही है। मन में उठनेवाली इच्छाओं का दर्शन करें।

३ यदि आप बैठे हैं तो इच्छा जग सकती है कि 'चलो, खड़े हो जाएँ।' ऐसे में तुरंत जाग्रत हो जाएँ कि अब खड़े होने की इच्छा जगी है। अतः खड़े होने के बदले कहें, 'मैं हर इच्छा से मुक्त हूँ... मैं स्वयं आज़ादी हूँ...।'

४ यदि आप चल रहे हैं तो इच्छा जागेगी कि 'कुछ पल रुक जाऊँ' मगर तुरंत जाग्रति आए कि यह रुकने की इच्छा जगी है। रुकने के बदले कहें, 'रुकने की इच्छा से मैं मुक्त हूँ... मैं स्वयं आज़ादी हूँ...।'

५ यदि आप आँखें बंद कर ध्यान कर रहे हैं तो हो सकता है कुछ देर बाद मन में इच्छा जागेगी कि 'आँखें खोलकर देखूँ।' तब तुरंत आप जान जाएँ कि आँख खोलने की इच्छा जगी है। तब स्वयं से कहें, 'मैं इस इच्छा से मुक्त हूँ... मैं स्वयं आज़ादी हूँ...।'

६ यदि आपको कमरे के बाहर किसी तरह का शोर सुनाई दे तो इच्छा जागेगी कि 'जाकर देखूँ।' तुरंत सावधान हो जाएँ कि बाहर देखने की इच्छा जगी है। तब स्वयं से कहें, 'फिलहाल यह इच्छा पूरी नहीं करनी है। क्योंकि मैं हर इच्छा से मुक्त हूँ.... स्वयं मुक्ति हूँ...।'

७ इस तरह जब आप स्थूल (मोटी) इच्छाओं को पकड़ पाएँगे तब सूक्ष्म इच्छाओं को पकड़ना भी सीख जाएँगे। धीरे-धीरे आपकी संवेदनशीलता बढ़ती जाएगी और आप समझ पाएँगे कि किन आदतों के कारण कौन सी इच्छा जाग रही है!

८ इस तरह हर बार के प्रयोग के साथ अंतर्मन की इच्छाओं को पकड़ना संभव हो सकता है।

९ इस ध्यान के दौरान जब भी मन में कोई इच्छा जगे, तुरंत स्वयं से कहें कि 'मैं इस इच्छा से मुक्त हूँ... मैं मुक्ति हूँ।

१० कुछ समय के लिए आप इच्छाओं से मुक्त होंगे तो अधिक समय के लिए मुक्त होने की संभावना खुलेगी।

११ इस तरह हर दिन के अभ्यास से धीरे-धीरे आपके द्वारा इच्छाओं के प्रति आसक्ति पर प्रहार होगा। जिसके फलस्वरुप इच्छाओं को पहचानते हुए तुरंत उन्हें पूरा करने की आदत पर आपका नियंत्रण बढ़ेगा।

१२ महसूस करें कि आपकी संवेदनशीलता बढ़ रही है, इच्छाओं के प्रति आपकी आसक्ति टूट रही है, मुक्ति का एहसास बढ़ रहा है। मुक्ति की चाहत भी अब बाधा नहीं बन रही है।

१३ हर इच्छा पर आप खुद को स्मरण करवा पाएँ कि 'मैं आज़ाद हूँ, असली आज़ादी मेरे ही अंदर है, बाहर केवल उसकी अभिव्यक्ति है।'

१४ ध्यान की समय सीमा खत्म होने पर सहज मन से आप जो भी कर रहे थे, करते रहें। इस ध्यान का निरंतर अभ्यास करें।

ध्यान के लाभ

इस ध्यान के अनेक लाभ हैं। जैसे- इच्छाओं की इच्छा, चाहत की चाहत रखनेवाली आदत से इंसान को मुक्ति मिलती है। चाहत की चाहत हो जाने के कारण मन बिना इच्छा के एक पल भी नहीं रह पाता। इस ध्यान से चाहतों की तरफ से आपका ध्यान हटकर, वर्तमान में स्थिर हो जाता है। मन एक इच्छाधारी साँप की तरह है, जो रूप बदलते रहता है। इच्छा ध्यान के द्वारा आपकी इतनी तैयारी हो सकती है कि अगर दिनभर भी इस ध्यान में बिठाया जाए तो आप इच्छाओं का दर्शन करते-करते मुक्त अवस्था में बैठे रह सकते हैं।

खण्ड 2
तेजचाहत
तना और चुनाव

'जो आदतें आज आज़ादी लग
रही हैं, वही गुलामी है',
यह हकीकत समझ में आने के
लिए गुलामी और आज़ादी
की सही पहचान होनी आवश्यक है।

11

डी.पी.एस. मनन मार्ग

इच्छा घोड़ा बन जाती तो हर मनुष्य घुड़सवार हो जाता।

- सूक्ति

चाहतें कहाँ, कब और कैसे जाग्रत होती हैं? उन चाहतों के कारण आपके जीवन में किसे न्योता मिलता है- दुःख को... सुख को... या फिर तेजआनंद को...?

यदि आप अपने जीवन में यह सब गहराई में देख सकें तो आपकी सारी समस्याएँ एक साथ विलीन हो जाएँगी। जिसके बाद आप चाहेंगे कि 'अब मेरे मन में पृथ्वी लक्ष्य के अनुसार वे ही चाहतें जागें, जो तेजचाहतें हैं।'

तेजचाहत जगाने के लिए इंसान प्रण कर, स्वयं से ही कहता है, 'मेरा दिल है तेजस्थानी।' अर्थात दिल से वही इच्छा उठनी चाहिए, जो तेजचाहत को जगाए। तेजचाहत जागने के बाद आप यह घोषणा कर पाएँगे कि 'अब शरीर का आदर करेंगे, गुलामी नहीं।' कोई निर्णय लेते समय जब भी कोई चाहत जगे तब आप स्वयं को अपनी घोषणा की याद दिला पाएँ। **सही समय पर सही शब्द याद आने से सही निर्णय लेने की संभावना बढ़ जाती है।**

इंसान के मन में ना-ना तरह की चाहतें जागती हैं और इंसानों से ही मुहल्ला,

शहर, राज्य, देश बनता है। किसी देश के नागरिकों की सामुहिक चाहत उस देश की चाहत कहलाती है। जरा सोचिए, जब पूरा मुल्क बोर होने लग जाए तो वहाँ के लोगों के मन में कैसी चाहतें जागेंगी? अलग-अलग देशों में जो निर्माण हो रहा है, वह वहाँ के लोगों की मानसिक अवस्था को दर्शाता है।

एक इंसान सोचता है, 'मैं एक ऐसा होटल बनाऊँगा जो अब तक लोगों ने देखा न हो। समुंदर के अंदर या आकाश में एक हैंगिग होटल बनाऊँगा...। जिसे देखकर सारी दुनिया दाँतों तले उँगली दबाए। उस होटल में देश के प्रतिष्ठित और धनवान लोग ही आएँगे।' यह चाहत उस इंसान की समझ को बयान करती है। जिससे यह पता चलता है कि वह लोगों की किन जरूरतों को देख पा रहा है! अर्थात वह लोगों की कौन सी जरूरतें पूरी करना चाहता है! और उन्हें पूरा करके वह अपनी कौन सी जरूरत पूरी कर रहा है!

तेजचाहत पूरी करें

वास्तव में देखा जाए तो लोगों की बाहरी जरूरतों को पूरा करने के लिए करोड़ों लोग बैठे हैं। इसलिए आप उन जरूरतों पर ध्यान न दें। आप उनकी कुछ ऐसी जरूरत पूरी करें, जिन पर कोई नहीं सोच रहा है। कई बार तो लोग स्वयं अपनी जरूरतों से अनजान रहते हैं। अकसर निजी चाहतों के ढेर में तेजचाहत दब जाती है। दिखावटी सत्य[1] इतना हावी हो जाता है कि चारों तरफ लोगों को नया थिएटर खोलते देख... मल्टीप्लेक्स बनाते देख... होटल का निर्माण करते देख इंसान को लगता है, 'मैं भी ऐसा ही कुछ निर्माण करूँ?' इन्हीं चाहतों के तले मूल चाहत, तेजचाहत दब जाती है, जो अन्य चाहतों की तुलना में सबसे महत्वपूर्ण चाहत है। जब समझ बढ़ेगी तब दिखावटी सत्य के सामने आप कभी भी तेजचाहत को दबने नहीं देंगे। वरना **डी.एस.यानी दिखावटी सत्य में तेजचाहत दबती है, जबकि डी.पी.एस. यानी डिवाइन प्लान सत्य के मनन में तेजचाहत जगती है।**

अतः जब भी दिखावटी सत्य दिखे, उसमें 'पी' को आमंत्रित करें तो वह बन जाएगा डी.पी.एस.यानी 'डिवाइन प्लान सत्य ।' जिसके उजागर होने से जीवन सहज, सुंदर एवं शक्तिशाली बन जाएगा।

डिवाइन प्लान सत्य के मनन से तेजचाहत जग जाती है। इसके लिए अपने

---

[1] दिखावटी सत्य यानी जो सच समान लगता है, वास्तविक सच नहीं होता।

आपको सतत यह पंक्ति याद दिलाएँ, 'डी.एस. (दिखावटी सत्य) में तेजचाहत दब जाती है, डी.पी.एस. (डिवाइन प्लान सत्य) मनन से तेजचाहत जग जाती है।'

तेजचाहत जागने के लिए, चाहत निमित्त है। चाहत जागती ही इसलिए है क्योंकि निमित्त बनना उसका काम है। संसार में इतनी सुंदरतम व्यवस्था बन चुकी है, यह इंसान जानता तक नहीं। जो भी परिस्थिति उसके सामने आती है, वास्तव में वह क्यों आई है, इसका उसे पता नहीं। इसलिए वह उससे लड़ता रहता है। अतः परिस्थिति जो भी रोल करने आई थी, वह उसे करने देंगे तो दुःख करने की कोई आवश्यकता ही शेष नहीं रहेगी।

12

दुःख की कथा से मुक्ति

प्रबल इच्छा का अर्थ है एक लक्ष्य बनाना, फिर उस लक्ष्य तक पहुँचने की कार्य-योजना बनाना और इसके बाद उस काम में तब तक जुटे रहना, जब तक कि लक्ष्य हासिल न हो जाए। सबसे महत्वपूर्ण तत्व है काम में जुटे रहना।

-माइकल हैन्सन

जीवन में आनेवाले दुःख के पीछे कौन सा सत्य छिपा है, यह न जानने के कारण लोग उसे दुःख का नाम दे देते हैं। असल में वह दुःख है नहीं। दुःख तो केवल एक अवस्था है, जिसकी वास्तविक परिभाषा आज तक किसी ने बयान नहीं की। दुःख तो केवल संदेश लेकर आता है। इंसान खुशी को छोड़कर जा रहा है तो उसे वापस बुलाने के लिए दुःख एक पुकार है।

इंसान को पता नहीं चलता कि कब, किस बात पर उसका अहंकार जाग उठता है और वह नाराज हो जाता है। इसलिए दुःख पुकार देता है कि 'तुम वापस अपनी जगह पर आओ, वापस शांति के साथ जुड़ो।' दुःख तो यह बताने के लिए आता है कि 'जीवन की गाड़ी में पेट्रोल भरवाने का समय आया है।' अर्थात 'सत्य श्रवण द्वारा समझ का पेट्रोल भर दो।' दुःख तो फीडबैक है, जो बताता है कि इंसान के अंदर कैसी अवस्था चल रही है, अंदर कौन सी चीजें हिल गई हैं। मान लें, यदि एक ऐसी मशीन का आविष्कार हो जाए जो आपको आपकी अवस्था बता पाए तो आप अधिक से अधिक ऐसी मशीनों का निर्माण करना चाहेंगे जो हर बार, हर बात आपको बताती रहे!

अद्‌भुत घड़ी का निर्माण :

मान लें, यदि ऐसी घड़ी का निर्माण हो जाए जो अपने अंदर हुई गड़बड़ी की आपको जानकारी दे तो आपके लिए कितना आसान हो जाएगा। उदा. घड़ी अगर समय से पीछे चल रही हो तो खुद ही बताए कि 'मैं लेट हूँ' और यदि समय से तेज चले तो बताए कि 'मैं तेज चल रही हूँ' यानी 'मेरे अंदर कुछ तो खराबी आई है, तुम जल्द ही इसे ठीक करवाओ। मैंने बताने का काम कर दिया, अब आगे की जिम्मेदारी आपकी है।' वरना यदि आप ऐसी घड़ी पर भरोसा करेंगे, जो समय से पीछे चल रही हो तो आपका कोई भी काम समय पर पूर्ण नहीं हो पाएगा। ऐसे में आपसे ने निश्चित किए समय पर कार्य पूरे नहीं होंगे। कारण है, आपने अपनी घड़ी समय के साथ मिलाई नहीं थी।

अब यदि घड़ी ही खुद बताने लग जाए कि 'मुझमें खराबी आई है' तो आपके लिए कितनी सुविधा की बात है। ऐसी नई, अनोखी घड़ी का निर्माण करके आपको कितना अच्छा लगेगा, जो खुद ही बताए कि 'सालों से कुछ साफ-सफाई, ऑइलिंग नहीं हुई है इसलिए मैं समय से पीछे (लेट) चल रही हूँ।'

बताने का तात्पर्य है-दुःख उस घड़ी की तरह आपको फीडबैक दे रहा है कि आपके अंदर कुछ बिगड़ गया है, जिसे ठीक करके आप खुश हो सकते हैं।

कथाओं को देखना सीखें :

घड़ी की बैटरी डाऊन हो गई है या खत्म होने को है तो आप तुरंत बैटरी बदल देते हैं। अर्थात बैटरी की वजह से घड़ी में कुछ खराबी आ गई हो तो आप उसे तुरंत ठीक करते हैं। ऐसे में आपको कितना अच्छा लगता है! यही काम तो शरीर करता है। शरीर दुःख, तनाव, निराशा, बोरडम की भावना लाकर आपको फीडबैक देता है कि 'देखो, आपके साथ कुछ ऐसा हो रहा है, जो सही नहीं है। कुछ ऐसी गलत कथा बनी है, जो आपके शरीर में खरखर पैदा कर रही है। इस कथा (गलत सोच) से बातचीत कर लें कि वाकई यह कथा सत्य है या नहीं?' फिर जैसे ही आप उससे बातचीत कर लेंगे, वह विलीन हो जाएगी।

आपकी नजर ऐसी बने कि आपने कचरे को देखा और तुरंत कचरा साफ हो गया। तो यह कैसी सुंदर व्यवस्था है! एक गृहिणी को यदि यह कहा जाए कि 'तुम सिर्फ कचरे को देखो तो वह साफ हो जाएगा, सिर्फ तुम्हारी दृष्टि से ऐसा होगा' तो

वह कितनी खुश हो जाएगी। इसी तरह जब भी आप कथाओं को देखना सीखते हैं तो कथा साफ हो जाती है। फिर शरीर संदेश देता है, 'वर्क डन'। सिगनल आता है... खुशी का बजर बजता है... जीवन में इंसान को और क्या चाहिए! इंसानी शरीर में ये सब व्यवस्थाएँ हो चुकी हैं मगर वह इसका आनंद नहीं ले पाता। अपितु वह कहता है, 'कुछ तो गलत चल रहा है... ऐसी फीलिंग आई... वैसी फीलिंग आई...।'

ऐसे में वह दिखावटी सत्य देखकर एक चाहत जगाता है। फिर उस चाहत से भविष्य का इंतजार करते बैठता है, 'भविष्य में ऐसा होगा... वैसा होगा...।' या भूतकाल की यादों में खो जाता है, 'मेरे साथ ऐसा क्यों हुआ...? वैसा क्यों हुआ...?' ऐसे समय पर खुद से सवाल पूछना चाहिए कि 'मन भविष्य में क्यों रहना चाहता है? कौन सी इच्छा और आशाएँ उसे भविष्य में ले जा रही हैं? या ऐसी कौन सी पश्चाताप की अग्नि है, जो उसे बार-बार भूतकाल में खींचकर ले जाती है।'

अकसर इंसान किसी न किसी इच्छा को अपने अंदर दबाकर रखता है। फिर उसी इच्छा पूर्ति की चाहत के कारण भविष्य में रहना उसे अच्छा लगता है। इसी तरह भूतकाल में उसके साथ कोई घटना हुई होती है, जिसकी वजह से वह उस पश्चाताप की अग्नि में जलते रहना चाहता है। हर क्षण वर्तमान* में रहने के लिए उसे कौन सी समझ चाहिए, यह पता ही नहीं होता। वर्तमान और भविष्य जिस बिंदु पर जुड़ते हैं, उस बिंदु को समय कहें या न कहें, यह भी उसे पता नहीं। भूतकाल और भविष्यकाल को समय कहा जाता है और उसी स्केल पर आपको कुछ समझ में आता है। वरना दोनों के बीच वर्तमान तो समय के परे है। भूत और भविष्य जहाँ जुड़ते हैं वहाँ गैप नहीं है, वहाँ समय नहीं है, वर्तमान[1] तो दोनों के पार है। अगर वहाँ पर रहकर सोचेंगे तो आप रहेंगे नहीं और रहेंगे तो सोचेंगे नहीं। दोनों काम साथ में नहीं हो सकते। वहाँ तो होकर ही जीया जा सकता है। इसके लिए आवश्यकता है वर्तमान में जीने की कला सीखने की... सत्य श्रवण, मनन, पठन, लेखन के निरंतर अभ्यास की।

---

[1] वर्तमान में रहने की कला सीखने के लिए पढ़ें तेजज्ञान ग्लोबल फाउण्डेशन द्वारा प्रकाशित पुस्तक 'वर्तमान का जादू'।

13

अतेज चाहतों को तड़ीपार करें

दूसरों के प्रति सद्इच्छा वह सबसे शक्तिशाली चुंबक है,
जो दूसरों की सद्भावना को अपनी ओर खींचती है।
-लॉर्ड चेस्टरफील्ड

जरा सोचें, इंसान उन अतेज चाहतों में क्यों उलझता है, जो दुःख या निराशा का कारण बनती हैं और हमें अपने आनंद से दूर ले जाती हैं।

अतः वापस वर्तमान में आ जाएँ। खुद का निरीक्षण करें कि 'भिन्न-भिन्न क्षेत्र एवं परिस्थितियों में मुझमें कौन-कौन सी चाहतें जग रही हैं?'

'जैसा देश, वैसा वेश' के अनुसार इंसान के अंदर नई-नई चाहतें जन्म लेते रहती हैं। हर देश जो चाहत रखता है, उसका असर बड़े पैमाने पर देखने को मिलता है। किसी देश के लोग ज्यादा लंबे, किसी देश के लोग ज्यादा मोटे तो किसी देश के लोग ज्यादा बोर होते हैं। इसलिए उस देश के लोगों का ध्यान मनोरंजन की तरफ अधिक होता है। आप देखेंगे कि हर देश में अलग-अलग चाहतें जगने के पीछे कुछ न कुछ कारण अवश्य होता है। अतः आप खुद से पूछें कि 'मेरे देश में, मेरे शरीर में, मेरे मन में कौन सी चाहतें जग रही हैं? अगर वे वैसी नहीं हैं, जो एक सत्य के प्यासे खोजी में जगनी चाहिए तो कहीं उन चाहतों में उलझने के कारण मैं अपने मूल लक्ष्य से दूर तो नहीं जा रहा हूँ? यह सजगता आपको बिना वजह पनपनेवाली चाहत से मुक्ति दिलाएगी।

सत्य के मार्ग पर अग्रसर होनेवाले लोग शुरुआती दौर में कहते हैं, 'मेरे मन में बहुत कम चाहतें हैं' मगर जब वे अपनी चाहतों पर मनन करते हैं तो उन्हें पता चलता है कि मन में कैसे प्रतिपल 'ऐसा हो और ऐसा न हो' की चाहत जागते रहती है। कुछ लोगों में 'ऐसा हो' की चाहतें ज्यादा तो कुछ लोगों में 'ऐसा न हो' या 'ऐसा नहीं हुआ होता तो अच्छा होता' की चाहतें ज्यादा होती हैं। कुछ लोगों में दोनों तरह की चाहतें होती हैं- एक पल यह तो एक पल वह, इस तरह चाहतों के साथ ही वे आगे बढ़ते हैं। ऐसे में उन्हें चाहतों से मुक्ति के कदम उठाने चाहिए। जिसके लिए खुद से यह कहते हुए ध्यान[1] में बैठना चाहिए कि 'अब मेरी कोई चाहत ही नहीं है।' इससे आप तुरंत ही वर्तमान में आ जाएँगे।

वर्तमान में आना आसान हो सकता है, यदि यह समझ रखकर आप खुद को कुछ क्षण ध्यान में बिठा पाएँ। उस समय कोई चाहत न रखें। उदा. ध्यान का सेशन जल्दी समाप्त हो, न हो... लाईट बंद हो, न हो... भूकंप आए, न आए...। इसके विपरीत आपके अंदर से ऐसी घोषणा हो पाए कि 'आए, न आए... हो, न हो दोनों मेरे लिए एक बराबर हैं।' इस क्षण कुछ भी हो सकता है, इस समझ के साथ आप वर्तमान में रहें। तब वर्तमान का जादू आपके लिए काम करने लगेगा। इससे आपको समझ में आएगा कि भूत और भविष्य में जाने की आवश्यकता ही नहीं है। वरना एक समय था, जब आप वर्तमान के खिलौने से दिनभर खेलते रहते थे। मगर बड़े होने के बाद कब वह खिलौना आपसे खो गया, यह आपको पता ही नहीं चला!

बचपन में आपका कोई खिलौना खो जाए तो आप कितना रोते थे! मगर बड़े होने के बाद सबसे प्यारा खिलौना खोने के बाद भी आपने रोना बंद कर दिया। अब दूसरे खिलौने मिल गए तो आप उस महत्वपूर्ण खिलौने को भूल ही गए। असल में उसी खिलौने के लिए रोना था मगर वही नहीं हुआ। वास्तविकता देखी जाए तो बाकी चीजों के लिए आप तो अभी भी रो रहे हैं, 'यह खत्म हो गया... वह चला गया... यह नहीं रहा...।' मगर वर्तमान के खिलौने की परवाह ही नहीं की गई।

जब इंसान अनुभव रूपी महत्वपूर्ण खिलौने के लिए फिर से रोना शुरू करता है तब वह सही मायने में खोजी बनता है। खोजी बनने के बाद भी कुछ समय तक उसे अपने अंदर अशांति ही महसूस होती है। उसे लग सकता है कि 'इसके

---

[1] 'चाहत या इच्छा मुक्ति' ध्यान को विस्तार से जानने के लिए पढ़ें इसी पुस्तक से भाग १० और १९।

पहलेवाला जीवन ही ठीक चल रहा था।' मगर समय के साथ पता चलेगा कि यह अशांति बहुत जरूरी थी वरना इंसान उन अशांत विचारों से बाहर निकल ही नहीं पाता। शरीर का आदर करते-करते, कब उसकी गुलामी शुरू हो गई, उसे पता ही नहीं चलता। उसी तरह नकली आज़ादी के साथ चाहत रखते हुए कब गुलामी शुरू हो गई, पता ही नहीं चलता।

बच्चा बड़ा होने के बाद उसकी चाहतें कुछ इस कदर होती हैं, 'मुझे मेरे निर्णय लेने का हक दिया जाए। जैसे- मैं सिगरेट पीऊँ या न पीऊँ, व्यसनों में अटकूँ या न अटकूँ। आज पढ़ाई करनी है या परीक्षा के दिनों में करनी है, ये सब मैं निश्चित करूँगा।' उसे लगता है यही आज़ादी है। मगर वह यह नहीं जानता कि ये छोटी-छोटी आज़ादी उसके लिए गुलामी का कारण बन रही हैं। जिन व्यसनों का चुनाव वह अपने हाथ में लेना चाहता है, बाद में वे व्यसन उसे अपने हाथ में ले लेते हैं। इसके विपरीत दूसरी तरफ सत्य का श्रवण है। आपको लगेगा कि यह गुलामी है मगर यह जीवन में आज़ादी लाने का कार्य कर रहा है। अतः गुलामी और आज़ादी की सही पहचान होनी चाहिए। आइए, इसी बात को एक और उदाहरण के प्रकाश में देखें।

जब आप विद्यार्थी थे तब स्कूल में होली के दिन भी छुट्टी न मिले तो आपको बहुत बुरा लगता था। मगर आगे जब विद्यार्थी निरंतरता से स्कूल जाता है, कॉलेज से निकलकर आजीविका लक्ष्य प्राप्त करता है, अपनी खुद की कंपनी खोल लेता है या नौकरी में सेट हो जाता है तब कहता है, 'अब मैं आज़ाद हूँ, जो चाहे वह कर सकता हूँ। अब भाषा, लोक व्यवहार, रचनात्मकता, अकाउंटस् ये सब मैं सीख चुका हूँ। अब मैं खुद कुछ निर्माण कर सकता हूँ, सोच सकता हूँ, सब कुछ कर सकता हूँ।' जरा सोचें, बचपन में जो स्कूल जाने की गुलामी सही, अनुशासन का डंडा खाया, आज वही आपकी आज़ादी का कारण बना है। उसी का नतीजा आज आपको सफल जीवन के रूप में देखने को मिल रहा है।

इसी तरह समझें जब आपसे कहा गया कि 'शरीर की गुलामी नहीं करनी है' तो किस तरह की गुलामी इंसान करता है और वह किस तरह की आज़ादी शरीर से चाहता है? यदि वह खुद को शरीर मानता है तो व्यसनों की आज़ादी चाहता है। उसके लिए आज़ादी की परिभाषा होगी, 'जब मैं जो चाहूँ, वह कर सकूँ'। मगर पहले पक्का तो करें कि 'जो यह सब चाहता है, वही तुम हो क्या?'

हकीकत में इंसान ने यही बात नहीं समझी इसलिए वह अनजाने में जहाँ

आज़ादी समझ रहा था, वहाँ गुलामी आती है; जिसे गुलामी समझ रहा था, उससे आज़ादी आ सकती है। यह फर्क समझ में आ जाए तो आप सही लीडर भी बनेंगे और लीडर बनकर रुक नहीं जाएँगे। वरना लीडर बन जाने के बाद फिर चाहत जगती है कि 'सब मुझ पर निर्भर रहें... सब मुझसे पूछकर कार्य करें।' इस वजह से लोग उनके साथ नहीं रहना चाहते। ऐसे में लीडर परेशान होकर, लोगों को अपने से जबरदस्ती बाँधने की कोशिश करते हैं।

यही बात रिश्तों में भी लागू होती है। घर के मुखिया को लगता है, 'सभी मुझ पर निर्भर रहें, मुझसे पूछकर ही सारे काम करें।' जबकि असली मुखिया वह होता है, जो लोगों को अपने बनाये नियमों से नहीं बल्कि प्रेम और आनंद से बाँधकर रखता है। वह स्वयं कहीं रुकता नहीं, आगे विकास करता है, साथ में औरों को भी आगे बढ़ने की प्रेरणा देता है।

सच्चा लीडर वह होता है, जो लोगों को आत्मनिर्भर बनना सिखाता है। वह उनके लिए वैसी व्यवस्था करता है। यह तेजचाहत है। अगर ऐसी चाहत हर लीडर के अंदर जग रही है तो कहा जाएगा कि वह 'तेजचाहत' की तरफ बढ़ रहा है। सच्चे लीडर की भूमिका लोगों के लाभ और कल्याण के लिए है। लोगों को अपने गुणों के विकास के बारे में सजग कर, उनमें भी 'तेजचाहत' जगाना सच्चे लीडर का कर्तव्य है।

14

मैं जो हूँ वही बनकर ज्यादा से ज्यादा जीऊँ

किसी से कुछ करवाने का एक ही तरीका है और वह है सामनेवाले में वह काम करने की इच्छा जगाना।

-डेल कारनेगी

तेजचाहत जिस कारण बढ़े, उसे बढ़ाने का प्रयत्न करना चाहिए। उदा. सत्य श्रवण, मनन, पठन, ध्यान, सेवा इत्यादि। इसी के साथ यह प्रार्थना करें, **'मैं जो हूँ वह बनकर ज्यादा से ज्यादा जीऊँ।'** यहाँ पर ज्यादा से ज्यादा शब्द पर इसलिए जोर दिया गया है क्योंकि भूलना इंसान की आदत है। अतः ज्यादा से ज्यादा समय तक सत्य की याद बनी रहे, इस उद्देश्य से उपरोक्त पंक्ति को बार-बार दोहराएँ। फिर जैसे जैसे आपको सत्य याद रहने लगेगा तब आप इसे बदलकर कहें, **'मैं जो हूँ, वही बनकर जीऊँ।'**

इससे आप तुरंत वर्तमान क्षण में आ जाएँगे। साथ ही आपकी शुभ इच्छा में भी बल आएगा। अब आपको मालूम है कि यह इच्छा महत्वपूर्ण है। इसलिए यह नींद में भी याद रहे। जैसे कुछ चीजें इतनी गहराई तक गई होती हैं कि हमें नींद में भी याद रहती हैं। फिर सपने में भी आप वही बनकर जीना चाहेंगे, जो आप हकीकत में हैं। सपने में भी कोई निर्णय लेने की परिस्थिति आएगी तो आप जो हैं, वही बनकर निर्णय लिए जाएँगे। इसलिए कुछ बातें अंर्तमन की गहराई तक पहुँचनी चाहिए। अंर्तमन आपकी हर पंक्ति को सुनकर, आपकी हर क्रिया और उसकी निरंतरता को देखकर आदत का निर्माण करता है। जैसे ब्रश करना, नहाना, खाना, दाढ़ी बनाना

ये सारी आदतें ऐसे ही तैयार होती हैं।

आदत पड़ जाने के बांद इंसान नहाने और गाने का कार्य एक साथ कर सकता है। उसे यह ध्यान देने की जरूरत ही नहीं होती है कि लोटा कहाँ है, बाल्टी कहाँ पर है? उसका हाथ खुद-ब-खुद सही जगह पर जाता है। यह है आदत का परिणाम। क्रिया की निरंतरता की वजह से अंर्तमन ने अपना काम कर दिया। इसके विपरीत अगर बाह्य मन को दो काम एक साथ दे दिए जाएँ तो वह परेशान होकर, सोचेगा कि 'पहले यह करूँ या वह करूँ।'

इसलिए आपको इसी प्रार्थना को बार-बार दोहराने के लिए कहा गया ताकि यह आपकी आदत बने। अचेतन अवस्था में भी आप इस पंक्ति को दोहराते रहें, '**मैं जो हूँ वही बनकर ज्यादा से ज्यादा जीऊँ।**' जब आपको इसके परिणाम आने शुरू हो जाएँगे तब आप आश्चर्य करेंगे। फिर उसी तरह जीने में आप संतुष्टि और तेजआनंद प्राप्त करेंगे। उसमें ही आपका लाभ, तेजलाभ नीहित है।

आप, जो हकीकत में है, वह भी शुरू से यही चाहता है। आपने उसे गौर से कभी सुना नहीं इसलिए समझा नहीं। मगर आप बचपन से हृदय से यही चाहते थे। हृदय की यही पुकार थी कि '**मैं जो हूँ, वही बनकर जीऊँ।**' उसी से आपको सुखद भावना महसूस होती है, अंदर से अच्छा लगता है। जैसे कोयल को अच्छा लगता है तभी तो वह गीत गाती है! वरना गीत ऐसे ही नहीं निकलते। जब कुछ अच्छा लगता है तो ही अंदर से गीत, भजन, अभंग, दोहे, प्रवचन निकलते हैं। अतः अच्छा लगना ही नई चीजों का निर्माण करता है।

'अच्छा लगने' की हर एक की परिभाषा और चाहत अलग-अलग है। यदि एक चूहे के अंदर चाहत जगती है कि 'मैं बिल्ली बन जाऊँ' तो आप जानते हैं कि यह डर की वजह से उपजी चाहत है। इसी तरह आप भी बहुत कुछ बनना चाहते हैं। तब स्वयं से पूछें कि 'कहीं यह चूहे की चाहत तो नहीं है?' अपनी चाहत के पीछे छिपे कारण को समझें। यदि आपके अंदर डर की वजह से कोई चाहत जगी है तो समझ जाएँ कि अंदर कोई विकार है, जो अतेज चाहतों को जन्म दे रहा है। विकार के साथ अज्ञान भी है, जो बता रहा है कि इससे समस्या सुलझ जाएगी। मान लें, किसी को लगे, 'मैं बिलगेट बन गया तो फलाँ समस्या सुलझ जाएगी।' सुनने में तो यह बिलकुल तर्कसंगत लगता है। मगर हर चाहत के पीछे खोज होनी चाहिए कि 'कहीं यह चूहे की चाहत तो नहीं है?'

कहने का तात्पर्य है हर इंसान का एक पैटर्न होता है। पैटर्न से ही चाहतें जगती हैं। अज्ञान और बेहोशी के रहते इंसान उस पैटर्न की सेवा में लगा होता है। इसलिए उसे वह पैटर्न बिलकुल सही लगता है क्योंकि उसी से उसने अपनी सुरक्षा का फॉर्मूला बनाया होता है।

बहिर्मुखी से अंतर्मुखी बनें

बचपन बीत गया और आप बड़े हो गए। इस प्रक्रिया में आपने समझा कि फलाँ-फलाँ कार्य करने से सारे मामले सुलझ जाते हैं। परिणामतः वे कार्य आपके लिए नियम (फार्मूले) बन जाते हैं। इंसान इसी तरह बड़ा होता है और समझ हासिल करता है। फिर उसकी शादी होती है और वह घर में भी ध्यान पाने के लिए उन्हीं नियमों का इस्तेमाल करता है।

जिसने जो नियम बनाया, फिर वहवही नियम इस्तेमाल करता है। उस वजह से वह बीमार होता है, उसका एक्सिडेंट हो जाता है, हड्डियाँ टूट जाती हैं और भी न जाने क्या क्या होता है। लेकिन उसे समझ में नहीं आता कि ये सब उसके ही बनाए हुए नियमों की वजह से हो रहा है। वास्तव में आपका ही नियम काम कर रहा है वरना एक्सिडेंट होता ही नहीं, आपको कोई बीमारी हुई ही नहीं होती, आप जो समस्या झेल रहे हैं, वह आई ही नहीं होती। अब उन्हीं सब चीजों की वजह से सभी आप पर ध्यान दे रहे हैं, जो आपकी चाहत थी।

अब समय आया है, इस बात को समझने का कि जब भी आपके जीवन में दिक्कतें आती हैं तो इसका अर्थ है कि वे आपको उच्च स्तर का ज्ञान (अनुभव) देना चाहती हैं। दिक्कतें आने का अर्थ है कि आप ही की इच्छा पूरी हो रही है क्योंकि आप ही उच्च की माँग कर रहे थे। माँग पूरी होगी तो आप ईश्वर से कह पाएँगे, 'तुम्हें जो लगे अच्छा, वही मेरी इच्छा।'

इस तरह आपको अंतर्मुखी होना है यानी जो पंक्तियाँ आज आपने याद की हैं, उन्हें एक लय के साथ दोहराएँ और अभिव्यक्ति भी करें। ये दोनों काम साथ में हो सकते हैं। अपने अंतर्मन को प्रशिक्षण दें कि 'कार्य करते हुए भी हम अपने लक्ष्य को याद रख सकते हैं।' यही अंतर्मुखी कार्य की अभिव्यक्ति है। इसी से आप अपने लक्ष्य की ओर बढ़ते हुए कह पाएँगे, 'तुम्हें जो लगे अच्छा, वही मेरी इच्छा।'

15

संतुष्टि की कहानी

मनुष्य का भला या बुरा उसकी अपनी इच्छा में ही निहित होता है।

-एपिक्टेटस

किसी में यदि कामचोरी की आदत हो तो उसके जीवन में क्या हो सकता है। जिनमें यह आदत नहीं हैं, वे इस बात की कल्पना भी नहीं कर सकते हैं कि ऐसे इंसान के साथ क्या-क्या हो सकता है। वह हमेशा काम न करने का ऐसा कोई कारण ढूँढ़ लेगा, जो दूसरों को सही लगे। ऐसा इंसान काम न करके, इस कदर खुश होता है, मानो काम हो गया हो।

मान लें, यदि किसी कामचोर इंसान को कोई बैंक का काम सौंपा जाए और उसका बैंक में जाने का मन न हो तो वह रो-धोकर बैंक जाने के लिए राजी होगा। ऐसे में यदि उससे कहा जाए कि 'किसी कारणवश आज बैंक बंद है' तो वह मन ही मन ऐसे खुश होगा, मानो, जैसे काम हो ही गया है। हालाँकि आज नहीं तो कल उसे बैंक जाना ही पड़ेगा लेकिन उसे लगता है कि काम हो गया।

कामचोर के साथ ऐसी कई घटनाएँ होती हैं, जिससे उसका जीवन दिन-ब-दिन नर्क बनता जाता है लेकिन उसे इसका कोई अंदाजा नहीं होता।

इंसान को समाज में रहते हुए कई तरह के कार्य करने होते हैं क्योंकि वह

समाज का एक हिस्सा है यानी समाज में उसका जो भी किरदार है, उसे पूरा करना ही है। लेकिन अगर वह डरपोक और कामचोर है तो वही होगा, जो आगे बताई गई कहानी में होता है यानी सब होगा लेकिन संतुष्टि नहीं होगी।

एक बार एक चूहा किसी जादूगर से मिला। वह इस बात से परेशान था कि बिल्ली उसे खाने के लिए हमेशा उसके पीछे पड़ी रहती है। अतः उसने जादूगर से कहा कि वह उसे बिल्ली बना दे। जादूगर ने उसकी बात मान ली और चूहे को बिल्ली बना दिया। लेकिन फिर एक दिन एक कुत्ता उसके पीछे पड़ गया। ऐसे में चूहा किसी तरह जान बचाकर भागा और उसने जादूगर से कहा कि उसे कुत्ता बना दे क्योंकि कुत्ता बिल्ली से ज्यादा ताकतवर होता है। जादूगर ने चूहे को कुत्ता बना दिया। उसे लगा कि 'अब तो अच्छा है, मोहल्ले में कुत्ते खुलकर घूमते हैं, मैं भी यही करूँगा। पहले बिल में रहता था पर अब खुलकर घूमूँगा।'

लेकिन फिर एक दिन एक गाय ने उसे सींग मार दी। वह वापस जादूगर के पास जाकर बोला, 'गाय कुत्ते से ज्यादा शक्तिशाली है, मुझे गाय बना दो।' जादूगर ने उसे गाय बना दिया। फिर एक दिन वह घास चरते-चरते जंगल तक चला गया और उसके सामने अचानक एक शेर आ गया। उसे वहाँ से भागना पड़ा। उसने फिर से जादूगर की मदद ली और शेर बन गया। लेकिन शेर बनकर उसने देखा कि शेर तो इंसान से डरता है। उसने सोचा, इंसान ज्यादा शक्तिशाली है इसलिए मुझे इंसान बन जाना चाहिए। फिर इंसान बनकर उसने देखा कि इंसान गर्मी से यानी सूरज से बड़ा परेशान है, वह फिर से जादूगर के पास गया और बोला कि 'मुझे सूरज बना दो।' जादूगर ने उसे सूरज बना दिया।

फिर उसने देखा, सूरज को बादल ढक रहे हैं। अतः चूहे ने जादूगर से कहा, 'मुझे बादल बनना है क्योंकि बादल सूरज से ज्यादा शक्तिशाली होता है।' बादल बनकर उसे पता चला कि हवा आकर बादलों को उड़ा देती है, टिकने ही नहीं देती। फिर वह जादूगर से कहकर हवा बन गया। इसके बावजूद उसने देखा कि हवा पहाड़ को हिला नहीं सकती तो उसे लगा कि पहाड़ ज्यादा ताकतवर है। उसने वापस जादूगर से माँग की कि 'मुझे पहाड़ बना दो।' वह पहाड़ भी बन गया लेकिन इसके बाद फिर एक बार वह जादूगर के पास गया और बोला कि 'मैं तो सब कुछ

बनकर देख चुका लेकिन फिर भी संतुष्टि नहीं मिली।' इस पर जादूगर ने उससे कहा, 'तुम्हें कुछ भी बना दिया जाए तो भी तुम संतुष्टि प्राप्त नहीं करनेवाले क्योंकि तुम्हारा दिल चूहेवाला ही है। बाकी सब बदल गया लेकिन दिल नहीं बदला।' इसलिए जादूगर ने उसे दोबारा चूहा बना दिया।

अब आप समझ गए होंगे कि जब तक दिल चूहेवाला हो तब तक बाहरी परिवर्तन से कुछ नहीं होता। जब दिल तेजस्थानी (आनंदित) होगा तो ही जीवन में संतुष्टि आएगी और संतुष्टि उसे ही मिलती है, जिसने अपने हृदय की सुनी।

उस जादूगर ने जैसे ही चूहे को वापस पहाड़ से चूहा बना दिया तब वह उसी पहाड़ के तल में सुरंग खोदने लगा। अब वह यह सोचकर खुश हुआ कि उसने पहाड़ पर भी विजय प्राप्त कर ली है। कामचोर इंसान भी कुछ ऐसी ही विजय प्राप्त कर, चूहा ही बने रहना चाहता है।

तात्पर्य- जीवन में लोग न जाने क्या-क्या बन जाते हैं लेकिन उनका दिल नहीं बदलता। फिर वे आदतें उन्हें संतुष्टि नहीं देतीं। इसके विपरीत यदि आपका दिल बदल गया तो आप कहीं पर भी संतुष्टि का आनंद ले रहे होंगे। हृदय की बात सुनेंगे तो आपके अंदर सुखद भावना ही आएगी।

16

तुम्हें जो लगे अच्छा, वही मेरी इच्छा

वह मत खरीदो जो तुम्हारी इच्छा है बल्कि वह खरीदो जिसकी तुम्हें जरूरत है। जिस चीज की जरूरत नहीं है, वह तो एक कौड़ी में भी महँगी है।

-केटो

एक गाँव में हरीभाऊ नामक एक इंसान रहता था। हरीभाऊ जो भी प्रार्थना करता था, वह पूरी होती थी। गाँव के लोग उसके पास आते और कहते, 'हमारे लिए यह प्रार्थना करो।' वह उनकी बात मानकर लोगों के लिए प्रार्थना किया करता था। उसकी दो बेटियाँ थीं, जिनकी शादी हो चुकी थी।

एक दिन वह अपनी बेटियों से मिलने गया। जब वह पहली बेटी से मिलने गया तो इधर-ऊधर की बातें होने के बाद बेटी ने कहा, 'पिताजी आप मेरे लिए ऐसी प्रार्थना करें कि बहुत अच्छी बारिश हो क्योंकि हमने अपनी खेत में बीज डाला है। बारिश नहीं हुई तो सब नुकसान हो जाएगा, ससुराल में तकलीफ हो जाएगी।'

दरअसल कई लोगों का सुअवसर बारिश पर ही निर्भर रहता है। यानी जब बारिश होती है तो ही लोग चप्पल-जूते या छातें खरीदने जाते हैं। इस बेटी ने भी ऐसा ही किया और पिताजी से बारिश के लिए प्रार्थना करने को कहा।

इसके बाद हरीभाऊ दूसरी बेटी से मिलने दूसरे गाँव गया, जो एक मटके बनानेवाले परिवार की बहु थी। दूसरी बेटी ने भी अपने पिताजी से प्रार्थना करने के लिए कहा। यह प्रार्थना इस बात के लिए थी कि बारिश न हो। बेटी ने पिताजी से कहा, 'पिताजी मेरे लिए प्रार्थना कीजिए कि इस साल बारिश न हो वरना हमने जो मटके बनाए हैं, वे बारिश में भीग जाएँगे, बह जाएँगे, बारिश की वजह से सूख नहीं पाएँगे। यदि बारिश होगी तो हमारा काम-धंधा चौपट हो जाएगा।'

हरीभाऊ को समझ नहीं आ रहा था कि क्या करें। वह सोच में पड़ गया कि मुझे तो अपनी दोनों बेटियों से एक जैसा ही प्यार है मगर दोनों ने अलग-अलग प्रार्थना करने के लिए कहा है। यह सोचते हुए हरिभाऊ शाम को घर लौटा। उसने अपनी पत्नी को सब कुछ बताया और फिर पूछा, 'क्या प्रार्थना करूँ?' वह भी सोच में पड़ गई। बहुत सोच-विचार करने के बाद हरीभाऊ को एक प्रार्थना सूझी। उसने वह प्रार्थना की और प्रार्थना करने के बाद उसे बहुत अच्छा लगा। पहले वह हर एक की इच्छा के अनुसार अलग-अलग प्रार्थना किया करता था। लेकिन अब वह सबकी इच्छा पूरी करने के लिए एक ही प्रार्थना करने लगा, अब उसकी वही प्रार्थना बन गई।

दरअसल, जीवन में जब ऐसी परिस्थितियाँ आती हैं, तभी आपको कुछ नया सीखने को मिलता है और आपकी प्रार्थना पूरी होती है। हालाँकि आप कुछ नया सीखना चाहते भी हैं और आपकी प्रार्थना है कि 'हमें सबसे उच्चतम और ज्यादा ज्ञान मिले, कोई भी चीज अंधेरे में न रहे, जीवन के सारे आयाम प्रकाशित होकर सामने आ जाएँ।' इसलिए आप यह पुस्तक पढ़ रहे हैं, यह भी कहीं न कहीं आपकी प्रार्थना का ही असर है।

इंसान के जीवन में होनेवाली हर बात उसकी प्रार्थना का ही फल है। अतः उसे समझना होगा कि कौन सी प्रार्थना से उसकी कौन सी इच्छाएँ पूरी हो रही हैं। क्योंकि इंसान इतनी सारी प्रार्थनाएँ करता है कि कब कौन सी प्रार्थना पूरी हो रही है, यह उसे मालूम ही नहीं होता। उसे याद भी नहीं रहता है कि फलाँ प्रार्थना उसने ही की है। इंसान अनेक प्रकार की प्रार्थनाएँ करते रहता है, 'मुझे पूरा ज्ञान मिले, भक्ति मिले, आत्मसाक्षात्कार मिले' और भी न जाने क्या...।

असल में सब कुछ आपकी प्रार्थना पूरी करने के लिए ही चल रहा है। कोई इंसान प्रार्थना करेगा कि 'मेरी बेटी की शादी हो जाए, उसे योग्य वर मिले।' तो उसके लिए सब कुछ बहुत आसान हो जाता है। हालाँकि उसे इस बात से कोई लेना-देना नहीं है कि वह लड़की जिस घर में जाएगी, उस घर के लोगों के लिए वह योग्य है या नहीं। यदि वह तांडव मचानेवाली होगी तो उसके घरवाले उसके लिए तकरार नहीं करेंगे बल्कि कहेंगे, 'वर तो बहुत सहनशील है, अच्छे लोग मिल गए। उसके क्रोध को सहनेवाले, उसे अच्छी तरह रखनेवाले लोग मिल गए हैं' यानी यह उनकी बेटी के हिसाब से बराबर होता है।

जिस प्रकार से लड़कीवाले प्रार्थना करते हैं, उसी प्रकार से लड़केवाले भी प्रार्थना करते हैं कि उनके घर अच्छी बहु आए। लड़का प्रार्थना करता है कि मुझे अच्छी पत्नी मिले। लेकिन क्या कोई उस लड़की के या उसके घरवालों के लिए प्रार्थना करता है। इन दोनों प्रार्थनाओं में आगेवाले लोगों के लिए सोचा ही नहीं जाता। हालाँकि जमाई या बहु तो अच्छे मिल भी जाएँगे लेकिन क्या कोई अपने आगेवाले लोगों के बारे में प्रार्थना करता है? बहु तो अच्छी मिल जाएगी लेकिन यदि दहेज ज्यादा लिया होगा तो उस दहेज को इकट्ठा करते-करते उसके मायकेवालों का जो हाल हुआ होगा, उनका जीवन बाद में कैसा होगा, इसके बारे में कोई नहीं सोचता। खैर, आइए अब फिर से कहानी की ओर मुड़ते हैं।

> हरीभाऊ ने समझदारी दिखाई। पहले वह सबके लिए अलग-अलग प्रार्थना किया करता था। लेकिन जब दोनों बेटियों की परस्पर विरोधी प्रार्थना करने का समय आया तब उसने प्रार्थना की कि 'हे ईश्वर, तुम्हें जो लगे अच्छा, वही मेरी इच्छा।' हरिभाऊ की इस प्रार्थना से वह अपनी दोनों बेटियों की इच्छा पूरी कर पाया। वरना उसके लिए यह बड़ा धर्म-संकट था कि किस बेटी के लिए प्रार्थना करें।

उपरोक्त बताई गई प्रार्थना से हरीभाऊ को इतना अच्छा लगा कि वह 'कौन सी प्रार्थना करे' इस दुविधा से ही मुक्त हो गया। वरना हर कोई इसी दुविधा में रहता है कि 'इसके लिए क्या प्रार्थना करें, उसके लिए क्या प्रार्थना करें?' फिर पंडित-पुरोहित बुलाए जाते हैं। उन्हें कहा जाता है कि 'फलाँ-फलाँ के लिए प्रार्थना करें।' अतः पंडित प्रार्थना करता है, 'इसके दादाजी के भाई की बेटी की जो इच्छा है, वह पूरी करें... ।' इस तरह वह एक लंबा पुराण पढ़ता है, सबके लिए फिर अलग-अलग चादर चढ़ाता है, कुछ पैसे डालता है... इत्यादि और भी बहुत कुछ करते रहता है।

ईश्वर से की गई 'तुम्हें जो लगे अच्छा, वही मेरी इच्छा', इस प्रार्थना के साथ अब समस्या दूर हो गई। इतना लंबा खींचने की जरूरत ही नहीं है। हम खुद भी हर किसी के लिए यह प्रार्थना कर सकते हैं। इंसान के अंदर जब कोई इच्छा लगातार जगती है तब वह चाहत बन जाती है। ऐसे में यदि दुःख आ रहा हो तो समझ जाएँ कि ऐसी कुछ बातें हैं, जो अभी स्पष्ट होनी चाहिए।

यदि चाहत के साथ चेतना है तो चाहत 'तेजचाहत' बनेगी और यदि चाहत से 'च' को निकाल दें तो इंसान आहत होता है यानी दुःखी होता है। अर्थात इंसान जब आहत होता है तो आघात होता है और वह समझ ही नहीं पाता कि चाहत ने उसे आहत क्यों किया? वास्तव में वह उसी की चाहत होती है। चूँकि 'च' का यानी चेतना का खयाल न रखने के कारण दुःख आया। इसलिए हमेशा यह सवाल पूछा जाता है, 'ज' यानी जरूरत है कि 'च' यानी चाहत है? अपने आपसे सजगता के साथ हर पल यह सवाल पूछें कि यहाँ पर आपका 'च' कौन सा है... क्या उसमें चेतना है... और आप किसका चुनाव कर रहे हैं...?

हरीभाऊ के सामने यह स्थिति आई कि उसे सोचना पड़ा, दोनों बेटियों में से किसके लिए प्रार्थना की जाए यानी वहाँ हरीभाऊ की समझ की टेस्टिंग (परीक्षा) हुई। हर इंसान के साथ ऐसा ही होता है, उसे भी जीवन में बहुत सारी बातों का चुनाव करना पड़ता है। ऐसे में सही चुनाव तब हो पाएगा, जब आपको ईश्वरीय इच्छा के प्रति दृढ़ समझ प्राप्त होगी।

17

चुनाव, चेतना, चाहत

इच्छा कभी स्वतंत्र नहीं होती- यह हमेशा किसी न किसी उद्देश्य या लक्ष्य से जुड़ी होती है। यह कार की ड्राइवर नहीं, इंजन है।

-जॉयस कैरी

आपको यदि कोई गलत काम करने हेतु उकसाए जैसे झूठ बोलना, व्यसन करना, जुआ खेलना आदि तो आपको मालूम है कि 'मुझे यह नहीं करना है।' जरा सोचिए, यह कितना स्पष्ट चुनाव है। कहने का तात्पर्य है कि एक साधारण इंसान के लिए अच्छे-बुरे के बीच में चुनाव करना आसान और सहज होता है।

बिलकुल इसी तरह जब दो चाहतों में चुनाव करना होगा और दोनों में आप कोई खामी नहीं देख रहे हैं, तब उच्च चेतना की आवश्यकता होती है। उदा. रेडियो पर प्रवचन और टी.वी. पर प्रशिक्षण कार्यक्रम दोनों एक ही समय पर हों तो सवाल खड़ा हो सकता है कि अब दोनों में से कौन सा कार्यक्रम देखें? ऐसे में चुनाव के पीछे आपकी समझ जरूरी है। आपने जीवन में क्या पाया है और आगे आपको क्या पाना है, इस आधार पर आपका चुनाव होगा, जो उच्च चेतना से आएगा। वरना समझ और ज्ञान के अभाव में अतेज चाहत काम करवाती है। जो आगे चलकर आपके दुःख का कारण बनती है।

अतः सजगता के साथ चुनाव करें। चुनाव करने के लिए जाग्रत होना पड़ता है और वही उसकी खासियत है। वरना यांत्रिकता से, बेहोशी में काम कर, इंसान निर्णय

लेता है, चुनाव करता है तब उसे पता ही नहीं चलता कि कब दुःख ने जीवन में प्रवेश किया। इसके विपरीत सही चुनाव के साथ आप आगे देखेंगे कि आपके शरीर के द्वारा तेजचाहतें ही पूरी होंगी। इससे कहीं पर दुःख का सवाल भी पैदा नहीं होगा क्योंकि तब आपकी ही चाहत पूरी हो रही होगी कि 'मैं जो हूँ वही बनकर जीऊँ।' यदि कोई इस प्रार्थना तक भी पहुँच जाएगा तो उसका फल आने लग जाएगा।

हर एक जब इस प्रार्थना के साथ दिन की शुरुआत करे, 'तुम्हें जो लगे अच्छा, वही मेरी इच्छा' तो सुबह से लेकर रात तक कोई भी अतेज चाहत आपको परेशान नहीं कर सकती। जो भी दृश्य देखा जाएगा, आपको बस उसका आनंद आएगा। हर पल, हर क्षण सेल्फ की ही सराहना होगी। क्योंकि उस दृश्य के बाद जो भी दृश्य आएगा, उससे आप हँसनेवाले ही हैं। हर कोई कहेगा, 'अरे! इतना आश्चर्य चल रहा था, अच्छा हुआ मैं उलझा नहीं।' ये बातें आपको समझ में आने के बाद जो निर्णय लिए जाएँगे और उनका परिणाम दिखेगा तो कृपा ही महसूस होगी। उस कृपा के लिए आपके हृदय से धन्यवाद ही निकलेगा।

इंसान जब आनंद को पार्किंग में रखता है तब वह खुश होना बंद करके पहले दुःख को देखता है। ऐसे में जब उसे कुछ भी मिलता नहीं है तब वह सोचता है, 'क्यों न आनंद को साथ में लेकर, बातचीत करके समस्या को सुलझाएँ। इसमें आनंद खोने की कोई आवश्यकता नहीं है। दूसरों को खुद पर निर्भर बनाने की कोई अवश्यकता नहीं है।' वरना जब लोग दुविधा में होते हैं, दो चीजों में होते हैं, दो के धोखे में होते हैं तब वे सबको अपने ऊपर निर्भर रखते हैं, यह सोचकर कि पता नहीं कब, कौन काम में आ जाए। ऐसे में किसी काम को अंजाम देने के सूक्ष्म पहलू वे किसी को नहीं बताते ताकि हर कोई हमेशा उनसे पूछने के लिए आता रहे, उन पर निर्भर रहे।

जो लोग इस तरह लीड (मार्गदर्शन) करते हैं, वे जानते नहीं हैं कि वे अभी लीडर बने ही नहीं हैं। हालाँकि उन्हें लगता है, 'हम लीडर हैं क्योंकि सब हमसे सलाह लेने के लिए आते हैं। लेकिन लीडर को यह मनन करना है कि 'मैं कौन सी सलाह दे रहा हूँ... मैं लोगों को आत्मनिर्भर बनाने के लिए सूक्ष्म बातों की खबर दे रहा हूँ या नहीं?' लीडर को हर किसी को बताना है कि 'आप खुद निर्णय लें, खुद काम करें। यदि गलती हो जाएगी, थोड़ा नुकसान हो जाएगा तो भी चलेगा...।' लोगों को जब खुद ही निर्णय लेकर कुछ करने के लिए कहा जाएगा तो ही वे आत्मनिर्भर बनेंगे। सही चुनाव करना सीखेंगे, उच्च चेतना में रहकर, निम्न चाहतों से मुक्ति पाएँगे।

युवा पीढ़ी को सीखना सिखाएँ

बेटियों को मायके (पीहर) में अकसर खाना बनाने की कला सिखाई जाती है, जबकि उन्हें सीखना सिखाया जाना चाहिए। उनके लिए इससे बढ़िया प्रशिक्षण कोई और नहीं हो सकता क्योंकि उन्हें जीवनभर इसी कला, इसी हुनर का इस्तेमाल करना है। वास्तव में देखा जाए तो 'सीखना' सिखाने के बिलकुल विपरीत होता है। मायके में बेटी को हर प्रकार का खाना बनाना सिखाया जाता है ताकि आगे चलकर उसे किसी कठिनाई का सामना न करना पड़े। अब मान लें अगर लड़की के मायके में सभी पनीर भुर्जी खाते हैं इसलिए उसे वह सब्जी स्वादिष्ट बनानी आती है। लेकिन ससुराल में लोग वह सब्जी न खाकर, अंडा भुर्जी खाते हो तो लड़की के सामने इसे बनाने का नया सवाल खड़ा हो जाएगा।

इसलिए मायके में लड़की को अनेक तरह की सब्जी बनाने की तरकीब सिखाने के बजाए उसे सीखना सिखाया जाए। अर्थात वह किसी भी काम को देखकर ही सीख जाए। उसे सीखने की ट्रेनिंग इस तरह दी जाए कि वह चीजों को देखकर उनमें महारत हासिल कर सके। इसके लिए आप अपनी बेटी को रसोई में अपने साथ खड़ा करें और उससे कहें कि 'मैं यह सब्जी बनाने जा रही हूँ, तुम सिर्फ इसे ध्यान से देखो और समझो कि इसे कैसे बनाया जाता है क्योंकि बाद में तुम्हें यह सब खुद-ब-खुद ही बनाकर मुझे दिखाना होगा।' इस तरह आपके प्रशिक्षण से उसका विकास होगा और वह सीखना सीख जाएगी। फिर उसे कोई भी सब्जी बनानी हो, वह उसके बनने की प्रक्रिया देखकर ही उसे बनाना सीख जाएगी। अर्थात उसे सीखने की कला आ जाएगी।

जिनमें सीखने या सिखाने की चाहत होती है, वे जीवन की घटनाओं का आनंद लेते हुए आगे बढ़ते हैं। मगर व्यक्ति, जो अहंकार का प्रतीक है, उसकी चाहत हमेशा लोगों को किसी न किसी पर निर्भर बनाने की होती है। अहंकार चाहता है, कोई भी उससे आगे न बढ़ पाए। लेकिन जिनमें सत्य की समझ उतरी है और उनमें उसे पाने की चाहत जगी है, उनके निर्णय और चुनाव सही होने लगते हैं।

ऐसे में कोई भी चाहत जागते ही सजगता आएगी कि यह चाहत मुझे कहाँ ले जानेवाली है और इससे क्या होनेवाला है? यदि आप वह बनकर जीते हैं, जो आप वास्तव में हैं तो ऐसे निर्णय खुद-ब-खुद होने लगेंगे, जिनसे सभी का कल्याण ही होगा। इसी में सभी का फायदा भी है क्योंकि सभी आत्मनिर्भर बन रहे हैं।

जो अब तक आत्मनिर्भर नहीं बन पाए, आप निरंतर उन लोगों की मदद करते रहें।

असल में कुछ लोग एक बार में सीख जाते हैं, कुछ लोग दस बार में तो कुछ लोगों को सौ बार बताना पड़ता है। क्योंकि लोग अलग-अलग तरह के होते हैं। आप अपना काम करते रहें, वह आपकी अभिव्यक्ति है, न कि कोई काम। इसे आपको बोझ नहीं समझना है। आप करते रहेंगे और लोग सीख गए तो बोनस लेकिन यदि नहीं सीखे तो भी आपको फर्क पड़नेवाला नहीं है। क्योंकि आप जो वास्तव में हैं, वह बनकर जीने लग गए हैं।

18

सब इच्छाओं से परे तेजइच्छा

ज्यादातर लोग योग्यता या बुद्धि से नहीं बल्कि
इच्छाशक्ति की कमी से असफल होते हैं।

–फ्लॉवर न्यूहाउस

अतेज चाहत से मुक्त और तेजचाहत की चाहत रखनेवाले हर जगह पर अपने आपको देखें। मॉल या मार्केट में, सिनेमा घर या स्वयं के घर में, टी.वी., रेडियो, इंटरनेट या पड़ोसी के सामने... हर जगह पर अपनी चाहत का मुआयना करें। देखें, वहाँ पर आपकी कौन सी इच्छाएँ जग रही हैं? तेजइच्छा कहाँ जग रही है? तेजइच्छा यानी सभी इच्छाओं से परे, शुभेच्छा। वह जगनी चाहिए, वह स्थान महत्वपूर्ण है।

जब आप ध्यान में बैठते हैं तब आप तेजस्थान (हृदयस्थान) के संपर्क में आते हैं। जो एक मुक्त और अहंकार रहित अवस्था है। यह अवस्था हमेशा रहेगी तो ही तेजचाहत का निर्माण होगा। वरना ऐसी अवस्था ना घर में और ना ही सिनेमा घर में आ सकती है। आदतवश इंसान घर में रहते हुए सोचता है, 'काश! मेरी पत्नी मेरा कहा मानती... काश! मेरे पास भी पड़ोसी जैसा घर होता... आदि। इसी तरह सिनेमा घर में हर सीन के साथ इंसान के मन में चाहत जगती है, 'काश! मेरे पास भी ऐसी ड्रेस होती... काश! मैं भी ऐसे डॉयलॉग्स बोल पाता ... काश! मैं भी ऐसे निडर होकर लोगों से बात कर पाता ... मेरी त्वचा भी ऐसी कोमल होती, मैं भी सुंदर दिखती' इत्यादि।

इस तरह हर दृश्य देखने के साथ इंसान के मन में एक चाहत जग रही है। ऐसे में कोई इंसान जब 'मेरा' या 'मेरी' शब्द कह रहा होता है तो उसे पता भी नहीं होता कि वह यह शब्द किसके लिए कह रहा है।

अतः यह कहते ही कि '**जो मैं वास्तव में हूँ, वही बनकर ज्यादा से ज्यादा जीऊँ**', इस विचार के साथ आपको सजग होना पड़ेगा। स्वयं से पूछना पड़ेगा, 'मैं कौन हूँ? और जो मैं हूँ, क्या उसके लिए संसारी (मायावी) इच्छा काम की है?' तब आपको पता चलेगा कि फलाँ इच्छा अंतिम लक्ष्य हासिल करने हेतु आपके किसी काम की नहीं है। इससे तो आपका कोई लेना-देना है ही नहीं। यह इच्छा पूरी करके भी क्या होनेवाला है! इस समझ के साथ आसानी से आप मायावी इच्छाओं से मुक्त हो जाएँगे। वरना जब तक असली ज्ञान और समझ नहीं मिलती तब तक इच्छाओं से बँधे लोग ताकत और अनुशासन का इस्तेमाल करते रहते हैं।

जब असली ज्ञान आ जाता है, भक्ति बढ़ जाती है तब चाहतों से मुक्त होना आसान हो जाता है। क्योंकि तब आपको मालूम होता है कि भक्ति सेल्फ (ईश्वर) की चाहत है, तेजचाहत है। वह ईश्वर की सराहना, आश्चर्य और गुणगान करना चाहती है। इस दृष्टिकोण से देखने पर ज्ञात होगा कि ईश्वर द्वारा रचित जो संसार बनाया गया है, उस पर जितना आश्चर्य किया जाए, उतना कम है।

एक पक्षी का चहचहाना सुनकर भी बहुत आश्चर्य हो सकता है लेकिन दिक्कत यह है कि इंसान ने आश्चर्य देखना या सुनना ही छोड़ दिया है। इसलिए प्रकृति की सुंदरता देखकर भी इंसान के अंदर कोई चाहत नहीं जगती। वह देख ही नहीं पाता कि उस बुलबुल में अच्छा है, जो वह बिना वजह चहक रही है। वह समझ ही नहीं पाता कि 'मैं भी इसी तरह चहक सकता हूँ, हर पल बिना कारण आनंद ले सकता हूँ।'

मोह, विकार नहीं लगता

मोह, आपको विकार जैसा नहीं लगता क्योंकि यह प्रेम का हमशक्ल है। यह ऐसा रावण है, जो राम का हमशक्ल है। मोह होने पर ही लोगों को दुःख होता है कि 'मेरे बच्चे ने मेरे साथ बुरा व्यवहार किया, मेरे बेटे ने मुझे घर से बेदखल कर दिया, बेटी ने हमसे हमेशा के लिए रिश्ता तोड़ दिया, मेरे रिश्तेदार धोखेबाज निकले, मेरे ही पिताजी और माँ ने मुझे अपनी जायदाद से अलग कर दिया' वगैरह

वगैरह। क्योंकि उनसे जो चाहतें जग रही थीं, वे पूरी होते हुए नहीं दिखीं इसलिए आपको दुःख आया।

ऐसे में आपको तुरंत सजग हो जाना है कि 'तुम्हें जो लगे अच्छा, वही मेरी इच्छा।' ऐसा कहेंगे तो आप दुःखद घटना से बाहर आ जाएँगे। यह पंक्ति याद रहेगी तो आपको दुःख से बाहर आने से कोई रोक नहीं सकता। वरना आपको सोचना पड़ेगा कि 'अब मैं कौन सी प्रार्थना करूँ? क्या बोलूँ?' ऐसे में आपको तुरंत यह एक प्रार्थना याद आए। फिर आप देखेंगे कि अब कोई भी विकार, अहंकार, अज्ञान आपके लिए बाधा नहीं बन रहा है बल्कि घटनाओं पर मात पाकर, आप खुलकर आगे बढ़ रहे हैं।

अतः आपको यह सोचना चाहिए कि 'मैं जो वास्तव में हूँ, वही बनकर ज्यादा से ज्यादा जीऊँ।' यह निर्णय आपको आप जो हैं, वही बनकर जीने के लिए काम आएगा। फिर आप अहंकार की सेवा करना कम कर, आप जो हकीकत में हैं, वह बनकर जीना चाहेंगे। वरना जहाँ लोग अहंकार को ही सब कुछ समझते हैं, वहाँ आप अहंकार बनकर ही बातचीत करेंगे। ऐसे में यदि आपके अंदर सजगता होगी तो आप प्रेम, आनंद, मौन, ज्ञान और ध्यान के साथ आगे के कार्य कर पाएँगे।

19

वास्तविक चाहत ध्यान

दुश्मनों को जीतनेवाले के बजाय मैं उसे ज्यादा
बहादुर मानता हूँ, जिसने अपनी इच्छाओं को जीत लिया है।

-अरस्तू

इस ध्यान की शुरुआत करने से पहले इसे पढ़कर पूर्णतः समझ लें। फिर आँखें बंद करके, अपनी चुनिंदा ध्यान मुद्रा में बैठें और अपनी दृढ़ता को प्रगाढ़ करें।

जब भी आप ध्यान में बैठें तब मन में ये विचार आ सकते हैं कि 'ध्यान में मुझे कुछ अनोखा दिखे, शरीर में दर्द न हो, समय जल्दी खत्म हो जाए, आज कुछ नया अनुभव मिले, रंग दिखे, मुझे कोई डिस्टर्ब न करे' आदि। ऐसे में समझ जाएँ कि 'ये मेरी चाहतें हैं।' अतः इनमें न अटकें बल्कि इन्हें साक्षी भाव से जानते हुए ध्यान की निरंतरता को बरकरार रखें।

१) इस ध्यान में सबसे पहले अपने आपसे सवाल पूछें, 'सुबह उठते ही मेरे मन में कौन सी चाहतें जगती हैं?' अलग-अलग लोगों की अलग-अलग चाहतें होती हैं। किसी की चाहत हो सकती है कि 'काश! थोड़ी देर और सोने को मिले।' किसी की जल्दि उठने की चाहत होती है। कुछ लोग चाहते हैं कि उनके सारे कार्य समय रहते ही पूर्ण हो जाएँ। किसी की चाहत हो सकती है, 'कहीं लाइट बंद न हो जाए।' इस प्रकार हरेक अपनी-अपनी चाहतों को सजगता के साथ जगते हुए देखें।

२) हरेक अपने हिसाब से देखें कि सुबह उठते ही उसके साथ क्या होता है? कौन सी चाहत जग जाती है या जाग सकती है? इंसान के मन में चाहतें इतनी तीव्र गति से जागती हैं कि उसे पता भी नहीं चलता है, 'मुझमें फलाँ चाहत जगी है।' ऐसे में उसकी कुछ चाहतें पूरी होती हैं, कुछ नहीं होतीं।

३) जाने-अनजाने हर इंसान की यही चाहत होती है कि उसकी सभी चाहतें पूरी हों। अतः इस ध्यान में स्वयं को अपने कार्य क्षेत्र में या जहाँ आप रहते हैं, उस माहौल में देखें कि वहाँ पर आपकी कौन सी चाहत होती है? मान लें, एक गृहिणी का कार्य क्षेत्र उसका रसोई घर है। वहाँ उसकी चाहतें होती हैं, 'कहीं पानी बंद न हो जाए, घर की साफ-सफाई समय पर हो जाए, बे-वक्त घर पर मेहमान न आ जाए, खाना अच्छा बने' इत्यादि।

४) ऑफिस में काम करनेवालों की चाहत होती है, 'शाम को घर जाने से पहले ऑफिस के सभी कार्य पूर्ण हो जाए। यदि किसी से अनबन हुई हो तो वह सुलझ जाए, अच्छी आइडिया आने पर या अच्छे ढंग से काम पूर्ण होने पर तारीफ मिले।

इन अलग-अलग उदाहरणों की सहायता से आपको अपनी चाहत प्रकाश में लानी है।

५) विद्यार्थियों की अलग चाहतें होंगी। उदा. 'स्कूल-कॉलेज में मित्रों के साथ मेरा व्यवहार अच्छा हो, मुझे कोई चिढ़ाए नहीं, टीचर होमवर्क न पूछे, मित्र मुझ पर ध्यान दें, लायब्ररी से पुस्तकें समय पर मिल जाएँ' आदि।

६) कार्य क्षेत्र के बाद स्वयं को बाजार में देखें कि वहाँ आपकी कौन सी चाहत होती है? इसी तरह जहाँ-जहाँ आप होते हैं, उस स्थान को याद करके स्वयं से पूछें कि 'मेरी कौन सी इच्छा, किस स्थान पर जगती है? रेल्वे स्टेशन पर, मंदिर में, फल-सब्जी खरीदते वक्त, भाव-तोल करते वक्त, बच्चों के साथ, बड़ों के साथ, गर्मियों में, ठंड के मौसम में या बारिश आदि में मैं कैसा महसूस करता हूँ?'

८) इसके बाद घटनाओं से जुड़ी चाहतों पर अपना ध्यान केंद्रित करें। देखें, हर त्योहार में आपमें कौन सी चाहत जगती है? दिवाली, दशहरा, क्रिसमस, ईद, दही-हंडी, गणेश उत्सव, मकरसंक्रांत, होली, रक्षाबंधन, नवरात्र, गुडी पाडवा

या नए साल (न्यू इयर) आदि के आगमन पर किन चाहतों को बल मिलता है।

९) अब अपने आपको किसी पार्टी में देखें, वहाँ आपकी कौन सी चाहत प्रबल होती है? कपड़ों को लेकर, भोज्य पदार्थ या पंडाल आदि को देखकर अकसर आपको कौन से विचार आते हैं? किसी शादी में, किसी की मृत्यु पर, किसी घर की वास्तु शांति इत्यादि जगह से संबंधित स्वयं को जाँचें। अपने आपको उस दृश्य में डालें, वहाँ खड़े रहते हुए देखें आपमें कौन सी इच्छा जगती है?

१०) सुबह-दोपहर-शाम में आप जहाँ भी होते हैं, वहाँ कौन सी इच्छाएँ होती हैं?

११) बॉस या टी.वी. के सामने, मसाज या ब्यूटी पार्लर, सिनेमा घर या पिकनिक स्थल, समुंदर का किनारा या यात्रा में स्वयं को कल्पना करके जानें कि आपके मन में कौन सी चाहतें उठती हैं।

१२) जब आप खुद गाड़ी चला रहे होते हैं या एक शहर से दूसरे शहर जाते वक्त बस, कार अन्यथा ट्रेन में सफर के दौरान आपमें कौन सी चाहतें जगती हैं?

१३) देखें- गर्वमेन्ट ऑफिस, पोस्ट ऑफिस, डॉक्टर के पास, किसी बीमार से मिलने हॉस्पिटल में जाने पर आपमें कौन सी इच्छा जन्म लेती है?

१४) खेल के मैदान या एग्जीबिशन में आपमें कौन सी इच्छाएँ जगती हैं? जिन जगहों पर आप नहीं होते, वे जगहें छोड़कर बाकी जगहों पर स्वयं को देखें, वहाँ कौन सी इच्छा जगती है?

१५) आपका शरीर लेटा है या दौड़ रहा है, बैठा है या अर्जन्ट काम में लगा हुआ है। शरीर बीमार है या आपको कोई बोर कर रहा है तब भी अपने अंदर जगनेवाली चाहतों का ध्यान करते रहें। एक-एक करके उन्हें प्रकाश में लाएँ और देखें किस चाहत की समाप्ति पर अंत होता है।

ये सब करने के पीछे उद्देश्य है, आपको अपनी वास्तविक चाहत की पहचान होना। आपकी चाहतें आपकी अवस्था बयान कर, आपको तेजचाहत (शुभेच्छा) की ओर ले जाती हैं। इसी से अगला कदम प्रकाशित होता है। फिर आपके द्वारा वैसी ही प्रार्थना एवं क्रिया होती है। अर्थात प्रकाशित कदम को देखकर आपके अंदर नई प्रार्थना उठती है।

जब आपका ध्यान सही समझ के साथ फलित होगा तब आपमें यह चाहत जगेगी कि 'मैं जो वास्तविक हूँ, वह बनकर जीऊँ'... या 'ज्यादा से ज्यादा समय मैं जो हूँ वह बनकर जीऊँ'। अर्थात 'ज्यादा से ज्यादा समय मेरी याद बनी रहे, उसी याद से, उसी सत्य से, उसी दृढ़ता से मेरी अभिव्यक्ति हो।'

यह तेजचाहत ध्यान के दौरान जगी दृढ़ता को देखकर जगती है। ध्यान के दौरान आपको वही सत्य दिखाई देता है। ज्यादा समय ध्यान में बैठकर इसी तेज चाहत (कनविक्शन) को बढ़ाया जाता है। जिसमें 'यही सत्य है' की दृढ़ता प्राप्त होती है। इस चाहत के सामने फिर सभी चाहतें आपको फीकी लगने लगती हैं। अंततः हर जगह आप जो हैं, वह बनकर आपकी उपस्थिति होगी।

मान लें, इस वक्त यह पुस्तक पढ़ते हुए भी आप सत्य का अनुभव कर सकते हैं। क्योंकि आप शरीर नहीं हैं, शरीर के माध्यम से स्वयं का अनुभव कर पा रहे हैं। अपने जिंदा होने का अनुभव कर पा रहे हैं। आपको सतत् अपने होने का एहसास-सेन्स ऑफ प्रेजेंस हो रहा है। इसी अवस्था को 'तेजचाहत' कहा गया है। जब तक तेजचाहत को बल नहीं मिलता तब तक अपने आपको ध्यान में बैठने के लिए प्रेरित किया जाए। वरना दिखावटी सत्य (बाहरी चाहतों) में तेजचाहत दब जाती है। इसलिए ध्यान में बैठने का महत्त्व है ताकि आप बैठें और सत्य देखें। कोई ध्यान में सही ढंग से बैठने के बाद ही यह कह पाएगा कि 'अच्छा हुआ हमें बिठाया गया वरना मेरा स्वयं को जानना, न जानने जैसा ही था।'

इस तरह चाहतों का ध्यान करते-करते आप तेजचाहत तक पहुँच जाएँगे। इसी से ही आपको सत्य प्राप्ति के लिए बल मिलता रहेगा और आपका ध्यान में बैठने का उद्देश्य सफल होगा। अतः जब भी आपमें कोई चाहत जगे तब समझ जाएँ कि फलाँ चाहत आपको तेजचाहत की याद दिला रही है। इसी को कहा गया है, साँप को भी सीढ़ी बनाना। अर्थात माया, जो उलझाती है, उसी को ही सत्य के लिए निमित्त बनाना।

इसके बाद अब कोई भ्रम शेष नहीं बचेगा, सारी समस्याएँ सुलझ जाएँगी। मान्यताओं का अंत होगा, इल्युजन की समाप्ति होगी, माया का पर्दाफाश होगा। यही ध्यान में उजागर होता है। जब तक इंसान को ये दिखाई नहीं देता था तब तक वह विधियों और उसके साथ आनेवाले परिणामों में उलझता रहता है। जैसे, 'ध्यान में कही मैं बोर न हो जाऊँ, जल्दी समय समाप्त हो जाए, तकलीफें न हो, शरीर में

दर्द न हो' इत्यादि। ऐसी चाहतों में रहकर यदि यह ज्ञात हो जाए कि 'यह समय तेजचाहत जगाने का है' तो आप ध्यान में सही ढंग से बैठ पाएँगे। फिर ज्यादा समय होने पर भी आप बोर नहीं होंगे। ध्यान में बैठने से बचने के लिए बहाने नहीं देंगे बल्कि आपका ध्यान चलता रहेगा और आप सच्चाई देखते रहेंगे। इसी से आपकी शुभेच्छा को बल मिलता रहेगा कि 'मैं जो हूँ वह बनकर ज्यादा से ज्यादा समय जीऊँ और किसी कारणवश यदि मैं भूल जाऊँ तो यह सत्य मुझे जल्द से जल्द याद आए।' अर्थात तेजचाहत को बढ़ाने में आपका भूलना भी निमित्त बनेगा।

इसी सच्चाई को जानते हुए आपकी, आपके सारे गुणों की अभिव्यक्ति होगी। वरना खुद को 'नकली मैं' (अहंकार) मानकर केवल व्यक्ति के गुणों की अभिव्यक्ति होते रहती है। मगर अब आप जो हकीकत में हों, 'रीयल आय', 'यूनिवर्सल आय', 'तेज मैं' 'ओम' ... जिसे अलग-अलग लोगों ने अलग-अलग नाम दिए हैं, उसी की अभिव्यक्ति होगी।

तेजचाहत में बल प्राप्त करने के लिए आप सबको बधाई हो। इस ध्यान में तेजचाहत की समझ प्राप्त कर, संसार में जाने के बाद वहाँ आपके अंदर कुछ चाहतें जगेंगी मगर अब आप यह ज्ञात कर पाएँगे कि 'फलाँ चाहत खुद को जानकर उठी है या खुद को भूलकर उठी है।'

'तेजचाहत' ध्यान द्वारा मिली समझ पाकर जानते रहें कि हर जगह कार्य या अभिव्यक्ति करते हुए स्वयं की याद आने से जीवन में क्या फर्क पड़ रहा है। वे कार्य जो आप पहले करते थे, खाना बनाते थे या ऑफिस की फाइलें पूरी करते थे, अब उन कार्यों की गुणवत्ता यकीनन बदल जाएँगी।

बंद आँखों द्वारा यह ध्यान करते वक्त आपको पता नहीं था कि चाहतों का ध्यान करते-करते आप कहाँ जानेवाले हैं... उस प्रोसेस में आपके अंदर क्या चल रहा था और अंत में आपको कौन सी शिफ्टिंग मिली, चाहतों को प्रकाश में लाने से वास्तविक चाहत को कितना बल मिला...! अतः आज आप जिस भी मुकाम पर है, उस मुकाम के अनुसार तेजचाहत को बल प्रदान करने हेतु खुली आँखों से भी आप अपना ध्यान जारी रख सकते हैं।

खण्ड 3
अंतिम निष्कर्ष

'जो आदतें आज आज़ादी लग
रही हैं, वही गुलामी हैं',
यह हकीकत समझ में आने के
लिए गुलामी और आज़ादी
की सही पहचान होनी आवश्यक है।

20

इच्छापूर्ति वृक्ष

एक घने जंगल में एक इच्छापूर्ति वृक्ष था। उसके नीचे बैठकर किसी भी चीज की इच्छा करने से वह तुरंत पूरी हो जाती थी। यह बात बहुत कम लोग जानते थे क्योंकि उस घने जंगल में जाने की कोई हिम्मत ही नहीं करता था।

एक बार संयोग से एक थका हुआ इंसान उस वृक्ष के नीचे आराम करने के लिए बैठ गया। उसे पता ही नहीं चला कि कब उसकी नींद लग गई। जब वह जागा तो उसे बहुत भूख लग रही थी। उसने आस-पास देखकर कहा, 'काश कुछ खाने को मिल जाए!' तत्काल स्वादिष्ट पकवानों से भारी थाली हवा में तैरती हुई उसके सामने आ गई। उस इंसान ने भरपेट खाना खाया और भूख शांत होने के बाद सोचने लगा, 'काश कुछ पीने को मिल जाए!' तत्काल उसके सामने हवा में तैरते हुए कई तरह के शरबत आ गए। शरबत पीने के बाद वह आराम से बैठकर सोचने लगा, 'कहीं मैं सपना तो नहीं देख रहा हूँ? हवा में से खाना और पानी प्रकट होते पहले तो कभी नहीं देखा, न ही सुना। जरूर इस पेड़ पर कोई भूत रहता है, जो मुझे खिला-पिलाकर बाद में मुझे खा लेगा।' ऐसा सोचते ही तत्काल उसके सामने एक भूत आया और उसे खा गया।

इस प्रसंग से आप यह सीख सकते हैं कि हमारा मस्तिष्क ही इच्छापूर्ति वृक्ष है। आप जिस चीज की प्रबल कामना करेंगे, वह आपको अवश्य मिलेगी। अधिकांश लोगों को जीवन में बुरी चीजें इसलिए मिलती हैं क्योंकि वे बुरी चीजों की ही कामना करते हैं। इंसान ज्यादातर समय सोचता है, 'कहीं बारिश में भीगने से मैं बीमार न हो जाऊँ?' और वह बीमार हो जाता है। इंसान सोचता है, 'कहीं मुझे व्यापार में घाटा न हो जाए?' और घाटा हो जाता है। इंसान सोचता है, 'मेरी किस्मत ही खराब है' और उसकी किस्मत सचमुच खराब हो जाती है। इंसान सोचता है, 'कहीं मेरा बॉस मुझे नौकरी से न निकाल दे?' और बॉस उसे नौकरी से निकाल देता है।

इस तरह आप देखेंगे कि आपका अवचेतन मन इच्छापूर्ति वृक्ष की तरह आपकी इच्छाओं को ईमानदारी से पूर्ण करता है। इसलिए आपको अपने मस्तिष्क में विचारों को सावधानी से प्रवेश करने की अनुमति देनी चाहिए। अगर गलत विचार अंदर आ जाएँगे तो गलत परिणाम मिलेंगे। विचारों पर काबू रखना ही अपने जीवन पर काबू करने का रहस्य है। आपके विचारों से ही आपका जीवन या तो स्वर्ग बनता है या नरक। उनकी बदौलत ही आपका जीवन सुखमय या दुःखमय बनता है। विचार जादूगर की तरह होते हैं, जिन्हें बदलकर आप अपना जीवन बदल सकते हैं।

21

सवाल - जवाब

जिनकी इच्छाशक्ति दृढ़ होती है, वे सांसारिक दौलत
के नुकसान की कभी शिकायत नहीं करते।

- तिरु वल्लुवर

१ : क्या महात्मा या आत्मसाक्षात्कारी संतों को मोक्ष या जन्म-मरण के फेरे से मुक्ति मिल जाती है? क्या उनकी कोई इच्छा शेष नहीं रहती? क्या वे लोक कल्याण के लिए सदा जन्म लेने के लिए तैयार रहते हैं। यदि ऐसा है तो क्या उन्हें मोक्ष प्राप्ति की भी इच्छा नहीं होती?

उपरोक्त प्रश्न पर यदि प्रतिप्रश्न किया जाए कि 'क्या आपको नाक प्राप्त करने की इच्छा होती है?' या पूछा जाए, 'क्या आपको लगता है कि मुझे नाक मिल जाए?' तो आपका क्या जवाब होगा? 'नहीं'। क्यों? क्योंकि आपको नाक पहले से ही मिल चुकी है। उसी तरह महात्माओं को मोक्ष पाने की इच्छा नहीं होती क्योंकि उन्हें मोक्ष पहले से ही मिल चुका है। जब तक कोई चीज मिली नहीं होती तब तक ही उसे पाने की इच्छा होती है।

जब आप किसी को महात्मा, आत्मसाक्षात्कारी या संत कहते हैं तो इसका अर्थ ही उन्हें मोक्ष मिल चुका है। बाकी बातें तो लोगों की अलग-अलग अवस्थाओं को ध्यान में रखकर बताने के लिए होती हैं। कुछ लोग अध्यात्म में नए होते हैं इसलिए उन्हें उच्च स्तर के जवाब समझ में नहीं आते। उन्हें प्रेरणा देने हेतु बुनियादी

बातें बताई जाती हैं ताकि लोग अव्यक्तिगत जीवन जीने के लिए तैयार हो पाएँ। वे जब उन महात्माओं को वैसा जीवन जीते हुए देखते हैं तो उनमें भी तेजइच्छा (तेजचाहत) जगती है।

सत्संग में जाने का महत्त्व इसलिए है क्योंकि वहाँ जब आप सत्य से संबंधित कुछ देखेंगे, सुनेंगे तभी तो आपके अंदर तेजचाहत जगेगी कि 'हमारा जीवन भी ऐसा हो सकता है, हम भी हमेशा आनंद में रह सकते हैं।'

वास्तव में मोक्ष उस अवस्था को कहा गया है, जहाँ पर व्यक्ति यानी अहंकार का पैदा होना और मरना समाप्त हो जाता है। गौर से देखा जाए तो पता चलेगा कि आप दिनभर में कभी अपने आपको सेल्फ (चैतन्य) तो कभी व्यक्ति मानकर बातचीत करते हैं। आपको पता ही नहीं चलता कि कब आप स्वयं को भूल गए। इसे ही जन्म-मरण कहते हैं। साधारण इंसान का जीवन देखेंगे तो पता चलेगा एक ही दिन में कितनी बार व्यक्ति (अहंकार) का जन्म-मरण होता है। स्टैबिलाइजेशन (मुक्ति-मोक्ष) का अर्थ ही है अहंकार का जन्म-मरण समाप्त हो जाए।

जब किसी बिजली के उपकरण में स्टैबिलाइजर लगा दिया जाता है तो बिजली में उतार-चढ़ाव (फ्लक्चुएट) न होकर एक निश्चित आऊटपुट आता है। जितने वोल्टेज की आवश्यकता होती है, उतना ही आता है। वैसे ही महात्मा या संतों में यह समझ आ चुकी होती है कि अब अलग से मोक्ष प्राप्त करनेवाली कोई बात ही नहीं है। न ही ऐसी कोई बात है कि मरने के बाद कुछ होगा, जिसे मोक्ष कहा गया है। उन्हें यह स्पष्ट होता है कि एक ही तत्व (चैतन्य) के अनेक जन्म होते हैं।

संत जब कहते हैं कि 'बार-बार जन्म मिले तो भी वे सेवा करेंगे' तो उनके कहने का मतलब होता है कि सेल्फ को जो उच्च अनुभव मिला है, वह बार-बार दोहराया जाए। मगर लोग वे बातें नहीं समझ पाते। जब कई बार जवाब दोहराया जाता है तब लोगों को थोड़ा-थोड़ा समझ में आता है। वरना तो ज्ञान में अधपका शुरुआती जवाबों से निकलना ही नहीं चाहता।

दूसरी ओर उम्र के साथ बुजुर्गों का लचीलापन खत्म हो जाता है। इसलिए जब वे एक ही बात के अलग-अलग जवाब सुनते हैं तो इस संभ्रम में पड़ जाते हैं कि फलाँ संत गलत थे, फलाँ संत सही।' जबकि किसी के गलत या सही होने की बात ही नहीं है। जिस तरह के लोग सामने हैं, उनकी समझ के हिसाब से संतों द्वारा उन्हें जवाब दिए जाते हैं। जिसे सुनकर, उस पर मनन कर, उनके अंदर सत्य जानने की

प्यास जग सके और उसके अनुसार वे कर्म कर सकें। वरना थोड़ा सा ज्ञान पाकर लोग अर्धज्ञानी बन जाते हैं। ऐसे लोगों को उच्च स्तर का ज्ञान देना किसी खतरे से खाली नहीं होता। इसलिए पहले पात्रता तैयार करने की ओर इशारा किया जाता है। जिसमें सिस्टम फॉर विज्डम (ज्ञान प्रणाली) का महत्त्व उभरकर सामने आता है।

जब आप सारा ज्ञान खिचड़ी करके सुन रहे होते हैं तो आप इतना ही कह पाते हैं कि 'हाँ हमें सत्संग में अच्छा लगा।' इससे आगे बात ही नहीं बढ़ती लेकिन जीने की प्रेरणा ऐसी नहीं होती है। इसके विपरीत एक सिस्टम के अंतर्गत सत्य-ज्ञान का लाभ लेने पर आप अपनी सारी चाहतों को समझते हुए आगे बढ़ पाते हैं। उनसे मुक्ति की ओर पहला कदम उठा पाते हैं। जहाँ आपको श्रवण, सेवा, भक्ति के त्रिकोण में रहने की आज्ञा मिलती है। इसी से तेजइच्छा को बल मिलता है। फिर आप आसानी से सत्य में स्थापित हो पाते हैं।

यदि किसी शरीर को सेवा की आदत नहीं है तो ज्ञान पाने के बाद भी वह सेवा करना टालता रहेगा। ऐसे में सेवक की सेवा कभी नहीं होगी। परिणामतः कई बातों को जानने एवं समझने से वह महरूम रह जाएगा। जबकि कुछ बातें देखकर ही इंसान उन्हें जान पाता है। अंततः स्वअनुभव के साथ ही दृढ़ता प्राप्त होती है। अतः इंसान के लिए इन सबसे गुजरना आवश्यक होता है।

कुछ रिश्ते ऐसे होते हैं, जिसमें पुरुष स्त्री को समझता है और स्त्री पुरुष को समझती है। वरना लोग एक ही पार्ट समझकर पृथ्वी से चले जाते हैं। यदि आपकी बेटी है तो आपको कुछ बातें समझने को मिलती हैं और बेटा है तो कुछ और समझने को मिलता है। सब तरह के रिश्तों के जरिए अलग-अलग ज्ञान उपलब्ध होता है। वरना एक तरह का ज्ञान प्राप्त करके इंसान दूसरे पहलू को कभी समझ ही नहीं पाता है, न ही वह कभी हृदय की बात समझ पाता है। इसीलिए पृथ्वी पर ये सब व्यवस्थाएँ हैं। हर चाहत, तेजचाहत के लिए निमित्त है। हर पल आप ही की चाहत पूरी हो रही होती है, जरूरत है केवल उच्च दृष्टि से देख पाने की।

२. गुरु की शिक्षाओं पर पूरा विश्वास होने के बावजूद भी वैसी कृति नहीं हो रही है, जैसी होनी चाहिए। ऐसे में क्या करना चाहिए?

कोई चीज क्रिया में तब उतरती है, जब उसके प्रति आपको पूरी दृढ़ता होती है। दृढ़ता प्राप्त होने के लिए कुछ बातें बार-बार दोहराई जाती हैं। जब कुछ बातों को हम बार-बार सुनते हैं तो वे भाव से विचार में आना शुरू हो जाती हैं, विचार से

वाणी में आती हैं और वाणी से क्रिया में आने लग जाती हैं। इसके पहले तो किसी घटना में आपको याद करना पड़ता है कि 'इस स्थिति में मैं क्या सोचूँ ताकि इस घटना से मुक्त हो पाऊँ।' बाद में वह आपकी जुबान पर ही आ जाती है। फिर यह इतना आसान हो जाता है कि आपके अंदर से, आपकी वाणी से फौरन निकलता है, '**जो तेरी इच्छा, वही मेरी इच्छा... जो तुम चाहते हो वही हो... दाय विल भी डन... इंशा अल्लाह**'।

फिर आगे आपको ऐसी बातें याद आएँगी कि 'मैं जो हूँ, वही बनकर जीऊँ'। आप स्वयं से पूछेंगे, 'जो मैं हूँ वह बनकर, इस परिस्थिति में मैं कौन सा निर्णय लूँ?' जब आप इन बातों को जीवन में प्रयुक्त करेंगे तब ही परिणाम आएगा। परिणाम आने के बाद मन अपनी पुरानी आदत छोड़ना चाहेगा। भँवरा अपनी कलाबाजियाँ तभी छोड़ता है, जब उसे वह फूल मिल जाता है, जिसमें उसे उसका मनचाहा रस मिलता है। ऐसा रस जिसकी वह तलाश कर रहा था। वरना तब तक वह भटकता रहता है और इधर-उधर रस ढूँढ़ता रहता है। मन ऐसा ही होता है इसलिए हमें मन को तेज रस आनेवाली बातों में लगाना है।

इसे ऐसे समझें जैसे किसी सत्संग में इंसान का मन चाहेगा कि 'चलो बाहर जाकर एक सिगरेट पीते हैं, फिर दोबारा शिविर में आकर बैठ जाएँगे।' ऐसे में जब उस इंसान की सिगरेट पीने जैसी एक इच्छा पूरी हुई तो वह सोचता है, 'चलो यह इच्छा पूरी हुई तो कुछ और भी करते हैं।' इस तरह वह दो नावों में पैर रखता है। शुरू-शुरू में वह अपने आपको संभाल भी लेता है। इसलिए वह सोचता है, 'आगे भी ऐसे ही करते रहेंगे। इसमें क्या बुराई है, इसमें भी तो आनंद आ रहा है।'

सत्य के मार्ग पर चलते हुए आपमें इतना बल आ जाए कि आप एक तरफ होकर अव्यक्तिगत जीवन जी सकें। जो बातें कभी-कभार होती हैं, वे इस बात की ओर इशारा करती हैं कि अंदर कुछ अप्रकाशित भाग है, जिसे प्रकाश में लाना है। किसी बात का अखरना, खलना यह पूछने की ताकत देगा कि अब भी यह कभी-कभी क्यों होता है? ऐसा कौन सा कोना है, जिस पर पूरा मनन नहीं हुआ है? ऐसी कौन सी आदत है कि हम भक्ति को आखिरी श्रेणी में डाल देते हैं? आइए, इसी बात को एक उदाहरण से समझते हैं।

एक जादूगर अपने हाथ में से वही पत्ता निकालकर देता है, जो आपने उसे बताया होता है! लेकिन किसी को यह दिखाई नहीं देता कि यह कैसे हुआ और

जादूगर ने इस कला पर महारत हासिल करने के लिए कितने साल तक परिश्रम किया। वास्तव में वह अकेले बैठकर ५२ पत्तों के साथ कितना खेला होता है। कितनी बार असफल हुआ होता है मगर वह हार नहीं मानता क्योंकि उसने तय किया होता है कि उसे इस पर महारत हासिल करनी ही है। वह सोचता है कि यदि कोई और कर सकता है तो मैं भी कर सकता हूँ। इस तरह प्रतिदिन अभ्यास के साथ हर पत्ता उसके दिमाग में छप जाता है।

इसी तरह आप भी प्रतिदिन अपनी साधना करते रहें। आपके हाथ में ५२ पत्ते होते हैं और आप उन्हें पीछे डाल देते हैं। मन पर बेहोशी छाने के कारण ऐसा होता है। अतः कुछ चीजों (श्रवण, सेवा, भक्ति) को हमेशा आगे रखें। आपको ५२ पत्तों पर महारत पानी है। एक बार महारत हासिल कर ली तो वही मिलेगा जो आपको चाहिए। वरना सत्य श्रवण में जो बातें आगे लाई जा रही हैं, उन्हें आप अपनी आदतवश वापस पीछे डाल देते हैं। आपको पुनः उन्हें आगे लाना है। इस निरंतर अभ्यास के साथ धीरे-धीरे आपका स्वभाव ऐसा बन जाएगा कि आप कहीं भी जाएँ, उन्हीं पत्तों को आगे रखेंगे, जिन्हें आप देखते रहना चाहते हैं। इसके बाद आप स्वाभाविक तौर पर उलझने से बच जाएँगे।

३. मेरे जीवन में जो भी घटनाएँ हुई हैं, वे मेरे विचारों की वजह से हुई हैं या डिवाइन प्लान की वजह से?

आपके जीवन में जो कुछ भी हुआ है या हो रहा है, उसका कारण है आपके विचार। घटना चाहे दिव्य योजना से आई हो या किसी अन्य कारण से विचार उसमें अपनी भूमिका निभाते हैं। क्योंकि विचार नियम सृष्टि के नियमों पर चलता है। संसार का नाटक इसी नियम के अंतर्गत चलता है कि लोगों के अंदर विचार उत्पन्न होते हैं, घटनाएँ घटती हैं और विकास या तेजविकास होता है। अतः यह निश्चित कर लें कि किसी भी घटना में विचार अपनी भूमिका निभाते हैं, फिर चाहे वे समझदारी के हों या अज्ञान के।

जब आप दिव्य योजना से माँग करते हैं तो उसी के हिसाब से जीवन में चीजें आती हैं। अगर आप अपनी उच्चतम संभावना की प्रार्थना कर रहे हैं तो फिर वे दिव्य योजना से आएँगी।

हर इंसान की चार संभावनाएँ बताई गई हैं। एक में वह दुःख भरा जीवन जीएगा, हमेशा उलझा रहेगा। दूसरे में कभी खुशी, कभी गम में जीएगा यानी इंसान

कभी उलझन तो कभी सुलझन में रहेगा। तीसरे में उसका जीवन सहज होगा, उलझन नहीं होगी लेकिन उसे उच्चतम लक्ष्य भी नहीं मिलेगा। चौथे में उसे दिव्य योजना के अनुसार सब कुछ मिलेगा।

कहने का तात्पर्य है हर इंसान में चौथे को पाने की क्षमता है। जैसे भगवान बुद्ध की उच्चतम संभावना खुली, वैसे ही सभी की उच्चतम संभावना खुल सकती है। जब आप अपनी दिव्य योजना के अनुसार कार्य करेंगे तब वह संभावना खुलेगी। अगर आप व्यक्ति (अहंकार) बनकर माँग रहे हैं तो जो भी आएगा, वह निम्न संभावनाओं से आएगा। दोनों घटनाओं में विचार ही काम करते हैं।

22

इच्छा दी है ...

इच्छा दी है तो मुक्ति भी दोगे जरूर,
प्यास दी है तो ज्ञान भी दोगे जरूर ।।

१) प्रार्थना हम से तो तू ही करवाता है (२)
हे ईश्वर आप मुझे आप बनाओ...
क्योंकि आज तक आपने मुझे बहुत सारे खिलौने दिए,
वो खिलौने जो घर, धन और मन के आनंद के रूप में
आज भी हमारे पास हैं।
लेकिन आज मुझे आपके सिवा और कुछ नहीं चाहिए...
कुछ भी नहीं चाहिए... कुछ भी नहीं चाहिए...
प्रार्थना हम से तो तू ही करवाता है (२)
आँख हम हैं तो तू ही है हमारा गुरु... (२)
इच्छा दी है तो मुक्ति भी दोगे जरूर... (२)

२) नाच तन मन का तो तू ही करवाता है
धुम तना तना नी धुम तना...
नाच तन मन का तो तू ही करवाता है... (२)
नाक हम है तो तू है इसका गुरूर... (२)

इच्छा दी है तो मुक्ति भी दोगे जरूर... (२)

३) मन की मैं-मैं है बाधा तुम्हें पाने में (२)

मन की मौत ही आत्मदर्शन का कारण है,

आइए इस कारण को समझें,

कारण को जानें, इसी से हम आत्मज्ञान

की ओर बढ़ सकते हैं।

मन की मैं-मैं है बाधा, तुम्हें पाने में... (२)

मैं भी तेरी है, मैं को तू कर चकनाचूर... (२)

इच्छा दी है तो मुक्ति भी दोगे जरूर... (२)

४) भजन हमसे तो तू ही करवाता है... (२)

तेजम्... तेजम्... (२)

भजन हमसे तो तू ही करवाता है... (२)

कंठ हम हैं तो तू ही है साज और सुर... (२)

इच्छा दी है तो मुक्ति भी दोगे जरूर... (२)

५) ध्यान हमसे तो तू ही करवाता है... (२)

ध्यान तो है, ध्यान तो है...

मगर ध्यानी नहीं है...

सिर्फ और सिर्फ तेजमौन है... तेजमौन है...

ध्यान हमसे तो तू ही करवाता है... (२)

शिष्य हम हैं तो तू ही हमारा गुरु... (२)

इच्छा दी है तो मुक्ति भी दोगे जरूर... (२)

प्यास दी है तो ज्ञान भी दोगे जरूर... (२)

प्यास दी है तो ज्ञान भी दोगे जरूर... (२)

सरश्री - अल्प परिचय

स्वीकार मुद्रा

सरश्री की आध्यात्मिक खोज का सफर उनके बचपन से प्रारंभ हो गया था। इस खोज के दौरान उन्होंने अनेक प्रकार की पुस्तकों का अध्ययन किया। अपने आध्यात्मिक अनुसंधान के दौरान उन्होंने लगभग सभी ध्यान पद्धतियों का भी अभ्यास किया। उनकी इसी खोज ने उन्हें कई वैचारिक और शैक्षणिक संस्थानों की ओर बढ़ाया। जीवन का रहस्य समझने के लिए उन्होंने **एक लंबी अवधि तक मनन करते हुए अपनी खोज जारी रखी, जिसके अंत में उन्हें आत्मबोध प्राप्त हुआ। आत्मसाक्षात्कार के बाद उन्होंने जाना कि अध्यात्म का हर मार्ग जिस कड़ी से जुड़ा है वह है– समझ (अंडरस्टैण्डिंग)।** उसके बाद उन्होंने अपने तत्कालीन अध्यापन कार्य को विराम लगाते हुए, लगभग दो दशकों से भी अधिक समय अपना समस्त जीवन मानवजाति के कल्याण और उसके आध्यात्मिक विकास हेतु अर्पण किया है।

सरश्री कहते हैं, 'सत्य के सभी मार्गों की शुरुआत अलग-अलग प्रकार से होती है लेकिन सभी के अंत में एक ही समझ प्राप्त होती है। **'समझ' ही सब कुछ है और यह 'समझ' अपने आपमें पूर्ण है।** आध्यात्मिक ज्ञान प्राप्ति के लिए इस 'समझ' का श्रवण ही पर्याप्त है।' इसी समझ को उजागर करने के लिए उन्होंने आज तक **चार हज़ार से अधिक आध्यात्मिक विषयों पर प्रवचन दिए हैं,** जिनके द्वारा वे अध्यात्म की गहरी संकल्पनाएँ सीधे और व्यावहारिक रूप में समझाते हैं। समाज के हर स्तर का इंसान सरश्री द्वारा बताई जा रही समझ का लाभ ले सकता है, इसके लिए किसी भी धर्म, जाति, उपजाति, वर्ण, पंथ, रंग या लिंग का बंधन नहीं है। विश्व के हर कोने में बसे लोग आज तेजज्ञान का लाभ ले रहे हैं। इस व्यवस्था के एक हिस्से के रूप में लाखों लोग रोज़ सुबह और रात को ९ बजकर ९ मिनट पर विश्व शांति के लिए प्रार्थना करते हैं।

सरश्री – अल्प परिचय

सरश्री तेजज्ञान यूट्यूब चैनल

तेजज्ञान फाउण्डेशन - परिचय

तेजज्ञान फाउण्डेशन आत्मविकास से आत्मसाक्षात्कार प्राप्त करने का एक रास्ता है। इसके लिए सरश्री द्वारा एक अनूठी बोध पद्धति (System for Wisdom) का सृजन हुआ है। इस पद्धति को अन्तर्राष्ट्रीय मानक ISO 9001:2015 के आवश्यकताओं एवं निर्देशों के अनुरूप ढालकर सरल, व्यावहारिक एवं प्रभावी बनाया गया है।

इस संस्था की बोध पद्धति के विभिन्न पहलुओं (शिक्षण, निरीक्षण व गुणवत्ता) को स्वतंत्र गुणवत्ता परीक्षकों (Quality Auditors) द्वारा क्रमबद्ध तरीके से जाँचा गया। जिसके बाद इन पहलुओं को ISO 9001:2015 के अनुरूप पाकर, इस बोध पद्धति को प्रमाणित किया गया है।

फाउण्डेशन का लक्ष्य आपको नकारात्मक विचार से सकारात्मक विचार की ओर बढ़ाना है। सकारात्मक विचार से शुभ विचार यानी हॅपी थॉट्स (विधायक आनंदपूर्ण विचार) और शुभ विचार से निर्विचार की ओर बढ़ा जा सकता है। निर्विचार से ही आत्मसाक्षात्कार संभव है। शुभ विचार (Happy Thoughts) यानी यह विचार कि 'मैं हर विचार से मुक्त हो जाऊँ।' शुभ इच्छा यानी यह इच्छा कि 'मैं हर इच्छा से मुक्त हो जाऊँ।'

यदि आप ऐसा ज्ञान चाहते हैं, जो सामान्य ज्ञान के परे हो, जो हर समस्या का समाधान हो, जो सभी मान्यताओं से आपको मुक्त करे, जो आपको ईश्वर का साक्षात्कार कराए, जो आपको सत्य पर स्थापित करे तो समय आ गया है तेजज्ञान को जानने का। समय आ गया है शब्दोंवाले सामान्य ज्ञान से उठकर तेजज्ञान का अनुभव करने का।

तेजज्ञान फाउण्डेशन – परिचय

हॅपी थॉट्स तेजज्ञान यूटयूब चैनल

महाआसमानी - अल्प परिचय

Self Delelopment to Self Realization

Towords Self Stabilizaion

क्या आपको उच्चतम आनंद पाने की इच्छा है? ऐसा आनंद, जो किसी कारण पर निर्भर नहीं है, जिसमें समय के साथ केवल बढ़ोतरी ही होती है? क्या आप इसी जीवन में प्रेम, विश्वास, शांति, समृद्धि और परमसंतुष्टि पाना चाहते हैं? क्या आप शारीरिक, मानसिक, सामाजिक, आर्थिक और आध्यात्मिक इन सभी स्तरों पर सफलता हासिल करना चाहते हैं? क्या आप 'मैं कौन हूँ' इस सवाल का जवाब अनुभव से जानना चाहते हैं?

यदि आपके अंदर इन सवालों के जवाब जानने और 'अंतिम सत्य' पाने की प्यास जगी है तो तेजज्ञान फाउण्डेशन द्वारा आयोजित 'महाआसमानी परम ज्ञान शिविर' में आपका स्वागत है। यह शिविर पूर्णतः सरश्री की शिक्षाओं पर आधारित है।

महाआसमानी परम ज्ञान शिविर का उद्देश्य :

इस शिविर का उद्देश्य है, विश्व का हर इंसान 'मैं कौन हूँ' इस सवाल का जवाब जानकर सर्वोच्च आनंद में स्थापित हो जाए। उसे ऐसा ज्ञान मिले, जिससे वह हर पल वर्तमान में जीने की कला प्राप्त करे। भूतकाल का बोझ और भविष्य की चिंता इन दोनों से मुक्त हो जाए। हर इंसान को जीवन में स्थाई खुशी और सही समझ मिले। साथ ही उसे समस्याओं को विलीन करने की कला आ जाए। मनुष्य जीवन का उद्देश्य पूर्ण हो। 'मैं कौन हूँ? मैं यहाँ क्यों हूँ? मोक्ष का अर्थ क्या है? क्या इसी जन्म में मोक्ष प्राप्ति संभव है?' यदि ये सवाल आपके अंदर हैं तो महाआसमानी परम ज्ञान शिविर इसका जवाब है।

महाआसमानी– अल्प परिचय

हैपी थॉट्स सरश्री
(इंग्लिश) यूट्यूब चैनल

सरश्री द्वारा रचित पुस्तकों की जानकारी

सरश्री ने विविध विषयों पर १५० से अधिक पुस्तकों का लेखन किया है, जिनमें से 'विचार नियम', 'विश्वास नियम' 'स्वसंवाद का जादू', 'स्वयं का सामना', 'स्वीकार का जादू', 'निर्णय और ज़िम्मेदारी', 'निःशब्द संवाद का जादू', 'संपूर्ण ध्यान' आदि पुस्तकें बेस्टसेलर बन चुकी हैं। ये पुस्तकें दस से अधिक भाषाओं में अनुवादित की जा चुकी हैं और प्रमुख प्रकाशकों द्वारा प्रकाशित की गई हैं, जैसे पेंगुइन बुक्स, जैको बुक्स, मंजुल पब्लिशिंग हाऊस, प्रभात प्रकाशन, राजपाल ऍण्ड सन्स, पेंटागॉन प्रेस, सकाळ प्रकाशन इत्यादि।

विचार नियम

आपकी कामयाबी का रहस्य

विश्वास नियम

सर्वोच्च शक्ति के सात नियम

पुस्तकें ऑर्डर करने के लिए लॉग इन करें

- www.gethappythoughts.org

पुस्तकों की अधिक जानकारी के लिए संपर्क करें-

फोन नं.: 09011013210

तेजज्ञान फाउण्डेशन - मुख्य शाखाएँ

पुणे (रजिस्टर्ड ऑफिस) – विक्रांत कॉम्प्लेक्स, तपोवन मंदिर के नज़दीक, पिंपरी, पुणे–४११ ०१७. फोन : 020-27411240, 27412576

मनन आश्रम – सर्वे नं. ४३, सनस नगर, नांदोशी गाँव, किरकटवाडी फाटा, तहसील– हवेली, जिला– पुणे – ४११ ०२४. फोन : 09921008060

- विश्व शांति प्रार्थना -

'पृथ्वी पर सफेद रोशनी (दिव्य शक्ति) आ रही है।
पृथ्वी से सुनहरी रोशनी (चेतना) उभर रही है।
विश्व से सारी नकारात्मकता दूर हो रही है।
सभी प्रेम, आनंद और शांति के लिए
खुल रहे हैं, खिल रहे हैं।'

यह 'सामूहिक अव्यक्तिगत प्रार्थना' तेजज्ञान फाउण्डेशन के सदस्य पिछले कई सालों से निरंतरता से कर रहे हैं। खुश लोग यह प्रार्थना कर सकते हैं और बीमार, दुःखी लोग उस वक्त एक जगह बैठकर इस प्रार्थना को ग्रहण कर स्वास्थ्य लाभ पा सकते हैं।

यदि इस वक्त आप परेशान या बीमार हैं तो रोज़ सुबह या रात 9:09 को केवल ग्रहणशील होकर इस भाव से बैठें कि 'स्वास्थ्य और शांति की सफेद रोशनी जो इस वक्त प्रार्थना में बैठे कई लोगों द्वारा नीचे पृथ्वी पर उतर रही है, वह मुझमें भी अपना कार्य कर रही है। मैं स्वस्थ और शांत हो रहा हूँ।' कुछ देर इस भाव में रहकर आप सबको धन्यवाद देकर उठें।

*** नम्र निवेदन ***

विश्व शांति के लिए लाखों लोग हर दिन सुबह और रात ९ बजकर ९ मिनट पर ऊपर दी गई प्रार्थना करते हैं। साथ ही भारतीय समय अनुसार हर दिन सुबह ६.१५, दोपहर ३.३० और रात ९.०० बजे भी यूट्यूब के ज़रिए 'ध्यान प्रार्थना बीज' प्रसारित होती है। कृपया आप भी इनमें शामिल हो जाएँ।

हॅपी थॉट्स परम ज्ञान यूट्यूब चैनल